長編推理小説

上野谷中殺人事件

内田康夫

光 文 社

目次

プロローグ

升源《ますげん》酒店のおやじは、暖房の効きの悪いことで、会合の最初から機嫌が悪かった。

「このビルも建て替えなきゃだめだよ」

プリプリ怒りながら、縁《ふち》の欠けた階段を蹴飛《けと》ばすようにして下りた。

「だいたい、この辺りのビルは多かれ少なかれ、傷《いた》んできてますからねえ。不忍池《しのばずのいけ》をやるついでに、いっせいに建て替えすりゃいいんですよ」

時田《ときた》商店の若社長も同調した。

もう一人、スギオカビルの社長は、いわく言いがたい顔で二人のあとから黙って階段を下りた。杉岡《すぎおか》のところも、持ちビルの老朽化はかなり進んでいるのだ。

「だけど、不忍池の件は、ほんとに実現しますかねえ？」

時田は心配そうに言った。

「反対派の連中は、かなり強気で、絶対に阻止するとか言ってるみたいですけど」

「そんなもの」と、升源は喧嘩腰《けんかごし》だ。

「われわれは切実な問題として捉《とら》えているのに、あいつらはまるで野次馬《やじうま》根性だぜ。てめえたちには関係ねえもんだから、勝手なことをぬかしやがる。ほんと、いまのうちに駐車場問題を片づけておかなきゃ、上野の商店街は閑古鳥《かんこどり》が鳴いちまうよ」

「そうですよねえ」

階段を下りきって、鉄のドアを開けた。外はまだ薄明るい。街の明かりと空の明るさがちょうど同じくらいに溶け合って、眠気を誘うような時刻である。

ドアを出るところに、行く手を遮《さえぎ》るように二人の男が立っていた。顔を突き合わせるようにして、一方の男の手にある手帳を、もう一人のほうが覗《のぞ》き込んでいる。覗き込んでいたほうが何か喋《しゃべ》りかけたときに、三人が出て行くのに気づいて、二人同時にこっちを見て、それから慌てて場所を移動した。

ビルを出た三人はその二人とは反対の方角に歩きだした。

「おい、いまの男、熊江《くまえ》建設のやつじゃなかったかい?」

升源が小声で言った。

「ああ、そういえば、このあいだの説明会のときに、会場にいたような気がしますね」

時田が言い、杉岡に「どうですか?」と訊《き》いた。

「さあ、どうかなあ、よく憶えていないんですよ」

杉岡は首をひねった。万事につけて、杉岡は言動が慎重すぎる。升源は気に食わない顔でそっぽを向いた。

「いや、たしかにいたよ。熊江建設の人間かどうかは知らねえけどさ、根回し工作に参加していることは間違いねえな。まあ、われわれとしてはご苦労さんと言いたいところだが、あっちの連中には嫌われてるんじゃないのかねえ」

「だとすると、もう一人の若い男のほうは、あれは何ですかね？　やっぱりスパイか何かでしょうか？」

「そうかもしれないな。反対派の切り崩しを狙って、ひそかに動いているってとこか」

「そうですかねえ？」

杉岡が気のない口調で言った。

「そう親密な様子には思えなかったですよ。スパイ仲間というより、むしろ、切り崩しの相手かもしれません」

「そうかね、まあ、どっちでもいいけどさ」

升源は煩《うるさ》そうに手を振って、「じゃあ、また」と、自分の店へ行く路地を曲がって行った。

第一章　不忍池《しのばずのいけ》

1

須美子《すみこ》が「軽井沢のセンセから電話です」と呼びに来た。軽井沢からの電話となると、相変わらず突慳貪《つっけんどん》な口調である。「センセイ」と言わず「センセ」と軽く言うのには、多少の軽侮《けいぶ》の感情が込められている。

「ねえ須美ちゃん、そのセンセというのはやめたほうがいいと思うよ」

浅見《あさみ》は遠慮がちに言う。須美子は「はい」と返事だけはいいが、たぶん今後も直らないだろう。以前から何度も注意を促《うなが》しているのだが、いつまで経《た》ってもあらためる様子がない。困ったものだ。

もっとも、須美子が——いや、須美子にかぎらず、浅見家の人間のほとんどが、軽井沢の内田康夫という作家に対して、あまり好ましい印象を抱いていないことは、浅見もよく承知していた。

浅見光彦《みつひこ》が現在の職業――ルポライターになる切っ掛けを造ったのは内田である。その意味からいうと、いくばくなりとも恩義は感じないわけにいかないのだが、内田は浅見が関わった事件のことを、片っ端から材料にして、推理小説に書いてしまう。まるで、そうすることが目的で、浅見をルポライターに仕立て上げたとも受け取れるほどだ。

いうなれば、人のフンドシで相撲《すもう》を取るのココロだ。それがまず、浅見家の人々には不愉快きわまる。

そこへもってきて、内田は事件の内容を歪曲《わいきょく》し、脚色し、興味本位の読物にしてしまう。浅見光彦はもちろんのこと、母親の雪江《ゆきえ》未亡人や須美子まで本名で登場させるので、世間体が悪くてしようがない。いちど、名前を使われ、モデルにされた女性から抗議の手紙をもらったと、悄気《しょげ》ていたことがあったけれど、内田の場合、そういう反省はほんの一過性で、すぐに立ち直る、性懲《しょうこ》りもないところがある。

「ちょっと頼みたいことがあるのだけど」

浅見が電話に出ると、内田は開口一番、神妙な声で言った。いつもの調子のよさとは、少し様子が違う。

「妙な手紙をもらってね」

「またですか」

浅見は（それ見たことか——）と思った。

「ん？　また、とはどういう意味だい？」

「え？　あ、いや、またファンレターをもらったのですか、という意味ですよ」

「ああ、ははは、そういうことか。いや、ファンレターもあったけどね……そうそう、このあいだは、女性ファンから誕生日のプレゼントをもらったよ。しかし、どうして僕の誕生日を知っているのかなあ？……」

（何をとぼけたこと言ってるのさ——）

浅見は呆《あき》れた。内田は『琥珀の道《アンバー・ロード》殺人事件』という本の中で、ちゃっかり誕生日のことを書いているのだ。「もしかすると、どこかの美人がプレゼントをくれるかもしれないからね」などと、さもしいことを言っていたくせに。

それにしても、プレゼントをくれる女性は美人だと決めつける身勝手さは、いかにも内田らしい。

「今回のはファンレターじゃないのだ」

内田は真面目《まじめ》な口調に戻って、言った。

「それに、手紙は一応、僕宛《あ》てになってはいるが、実際の宛先はきみなのだよ」

「僕に、ですか？」

「ああ、そうだ、きみへの依頼と言ってもいい」

「依頼……というと、どこかへ取材に行ってくれとか、そういったたぐいの原稿依頼ですか？」

「冗談言っちゃいけない。原稿依頼をきみになんか回すわけがないだろう。そうでなくても、目下のところ、家を新築してローンに四苦八苦しているのだからね。そうじゃなくて、事件だよ、事件」

「事件？……まさか、何かの事件の依頼、という意味じゃないでしょうね」

「いや、そのまさかだよ。きみに事件を調べてほしいと言っている」

「だめですよ、そんなの。僕は探偵業じゃないって言ってるでしょう」

「しかし、世間はそう思っている」

「それは内田さんが変なものを書くからじゃありませんか」

「変なものはないだろう。僕の作品が概して評判がいいのは、きみだって知っているじゃないか。そりゃ、ヘッポコ探偵をあたかも名探偵であるかのごとく、美化して書く虚構がある ことは認めるけどさ。それはともかく、きみの性格としては、頼まれていやとは言えないだろう」

「いえ、言えますよ、いくらでも。いやなものはいやです」

「ははは、無理しなくてもいい。きみの本心はみえみえなのだ」

「無理なんかしていませんよ、本心からいやだと言っているのです」

「ははあ……」

内田は笑いを含んだ声で言った。

「そばにあの須美子嬢か、恐怖のおふくろさんがいるね」

「え？　いや、誰もいませんよ」

浅見は慌てて否定したが、内田の慧眼《けいがん》には驚いた。事実、すぐ目の前に、須美子の片付けものをする姿があった。大して急ぎでもないのに、須美子が時間をかけて片付けものをしているのは、大切な坊っちゃまを、変なセンセに誘惑されないように、監視するためである。だいたい、いまどき、家に電話が一本しかないのはおかしいのだ。浅見家では主《あるじ》である陽一郎《よういちろう》の書斎に警察庁と結ぶための専用電話があるほかは、コードレスフォンはもちろん、親子電話すら設置していない。電話のたびにいちいちリビングルームに出て、須美子や母親の監視の中で話さなければならないのは、じつにやりにくいのだが、居候《いそうろう》の身分としては、文句を言えた義理ではないのだ。

「まあいいさ、深く追及する気はないよ。そういうわけだから、とにかく、その手紙をファックスで送るから、すぐに仕事にかかってもらいたい」

内田は言うだけのことを言うと、「じゃあ」と電話を切った。

仕方がないので、電話をファックスに切り換えておくと、まもなく受信装置が動きだした。

手紙をそのまま送っているらしい。インクがブルーなのか、あまり鮮明な文字ではなかった。それに文章も拙《まず》い。どうやら日頃、文章を書く機会のない人物のようだ。

手紙は便箋《びんせん》三枚分、その要旨は以下のようなものであった。

私は寺山孝次《てらやまこうじ》という岩手県出身の二十六歳になる男です。現在、東京の大手の建設会社の孫請けの会社に雇われて、東北新幹線の地下工事現場で働いています。

四日前のことです。突然、刑事が私の住んでいるアパートに来て、警察に連れて行かれました。先月の二十五日の晩、どこにいたかと尋ねるのです。私はその日は給料日だから、岩手にいる母親のところに送金して、早く帰って寝たと言いました。

しかし、警察は私の言葉を信用しないみたいでした。刑事の一人は「嘘をつけ」と言うのです。どうして嘘なのかと訊くと、その日の夜中の十二時ごろ、不忍池の近くで人を殺しただろうと言うのです。

私はびっくりしました。もちろん身に覚えのないことですから、そう言いますと、殺された人のポケットに、私の写っている写真が入っていたのだそうです。

刑事に見せてもらった写真には、たしかに私が写っていました。先月のなかばごろ、仕事仲間とちょっとした宴会をしたときに、四人の仲間と肩を組んで、一緒にポーズをつくった、その写真です。

写真を持っていたからって、私が犯人だという証拠にはならないだろうと思ったので、私はそう言いました。写真に写っている、ほかの四人の誰かかもしれないだろうとも言いました。

刑事はそんなことは分かっていると言いました。すでにほかの四人のところにも行って、いろいろ訊いているのだそうです。その結果、私以外の人間は全員、アリバイがはっきりしたのだそうです。私だけが、自分のアリバイを証明できないということです。

しかし、そんなことを言われても困ってしまうのです。私は家で一人で寝ていたのですから、誰もそのことを証明してくれません。私の住んでいるアパートは、古くて汚くて、いまはガラガラに部屋が空いていて、その夜だって、アパートの人たちとは顔も合わせていないのです。

警察でさんざん怒鳴られ、小突かれ、眠くなっても寝かせてくれずに、夜中じゅう調べられて、さっき家に帰されたところです。

このままだと、また警察に連れて行かれるにちがいありません。私はそんなに悪いことはしていませんけど、いたずら半分に万引きをしたことがあって、そのときは店のおじさんに許してもらったのですが、もしかすると、警察はそのことを理由にして、逮捕するかもしれません。よく別件逮捕というのがあるそうですから。

そうなったら、私はきっと殺人犯にされてしまうと思います。何もしていないことを証明するのは、何かをしたことを証明するのより、ずっと難しいと思うのです。そんなわけですから、どうぞ助けてください。お願いします。


手紙の内容はざっとこういうものだ。もっとも、実際の文面はもっと稚拙《ちせつ》で、誤字だらけの文章であった。

しかし、「何もしていないことを証明するのは、何かをしたことを証明するのより難しい」というロジックには、なかなか鋭いものを感じさせる。いわゆる学校の勉強は出来なかったけれど、頭は悪くなく、処世の術には長《た》けているのかもしれない。

浅見はファックスを二度読み直してから、軽井沢に電話をかけた。

「やあ、どうだった？　やつは、まだ警察には連行されていなかったかね？」

内田はいきなり訊いた。

「僕はまだ何もしてませんよ」

浅見は呆れて、つい不機嫌そうな声になった。

「なんだ、そうか、これからなの。じゃあ、よろしく頼み……」

「待ってくださいよ、僕に押しつけるのはやめてくれませんか」

「押しつけてなんかいるものか。僕は浅見ちゃんに権利を無償で譲渡するような、きわめて無念な気持ちなのだ」

「そんな権利は譲渡しないでくださいよ。むしろ無念のほうを譲ってもらったほうが、ずっとましなくらいです」

「ふーん、そうなの、だめなの、やる気、ないわけ。分かった、それじゃいいよ、この話はなかったことにしてくれ」

内田はそっけなく電話を切った。日頃、未練たらしいあの男が、こんなふうにあっさり引き下がるのは、珍しいことである。原稿取りと借金取りに追いまくられているというのは、嘘ではないのかもしれない。だとすると、もう少し、色よい返事をしてやるのであった。

浅見はファックスをいったんクズ籠《かご》に捨てたが、いつまでもそのことが気になって、また拾い出して眺めた。

(関係ないよな――)

自分に言いきかせたが、今度はクズ籠にではなくデスクの上の棚に載せておいた。身勝手な内田に対してはともかく、寺山孝次という男の「災難」には同情しないわけにはいかない。

しかし、三日四日と経過して、仕事にかまけているうちに、手紙のことは忘れた。そのまま何事も起こらなければ、ファックスは棚の上で文字が褪《あ》せて、ただの紙のようになってしまったことだろう。

2

繭美《まゆみ》が蘭歩亭《らんぽてい》に入ったとき、マスターがお客相手に、上野駅際のガード下で起きた陥没事故の話をしていた。お客といっても、近所の馴染《なじ》みで、繭美も顔見知りの時計屋のだんなだ。

蘭歩亭はフリの客も少なくないけれど、近所のひま人の、ちょっとした溜《た》まり場のようになっていることが多い。客は独り客ばかり四人いた。時計屋のほかにもう一人、カウンターに芸大生ふうの若い男がいる。いちばん奥のテーブルにはセールスマンらしき男、この二人は時折、顔を見せる客だ。入口に近い明るいテーブルには七十前後の、まあこのくらいなら婆さんと呼んでもいいかな——と思える、上品な老女がいたが、彼女の顔に繭美は見憶えはなかった。

時計屋は繭美の顔をチラッと見て、「よぉ」と片手を上げると、「それでどうした?」と、マスターに話のつづきを促した。

「ひでえもんだよ。でっかいベンツだの、トラックだのがさ、丸ごとズボッて落っこちちゃってんの」

事故発生の瞬間を見ていた人の話によると、穴の底からモウモウと噴き上げる土埃《つちぼこり》が、まるで噴火のようだったという。そこに通りかかった車が何台も落ちて、乗っていた人たちが蟻地獄《ありじごく》から這《は》い上がってくるように、真っ黒になって現れたそうだ。

「あんなところにトンネルを掘って、新幹線なんか通そうっていうのが、そもそもの間違いなんだよな」

マスターは新幹線東京駅乗り入れが気に入らないのである。いや、マスターに限らず、上野界隈《かいわい》に住んでいる人間なら、大抵は東北・上越新幹線の東京駅乗り入れには絶対反対の姿勢でいる。上野駅は大東京の北の玄関であることに存在の意義がある——という考え方だ。

繭美が主宰《しゅさい》する谷根千《やねせん》マガジンでは、季刊タウン誌『谷根千界談』を出しているが、二年前ごろ、三回にわたって、東京駅乗り入れ問題を特集した。編集の姿勢としては、どちらかというと、地元の意向を反映させるほうに傾きがちになるものだけれど、繭美はその問題に関するかぎりは、ＪＲがそうするのはやむをえない――と、内心ではむしろ消極的な気分であった。

とはいえ、『谷根千界談』の主張は、やはり全体として乗り入れ反対の旗を掲げた。物理的な効率のみを重視する現代の風潮に対して、情緒面から、上野駅が永遠の終着駅であるべきことを訴える内容になった。

石川啄木《たくぼく》の「ふるさとの訛《なまり》なつかし停車場の人ごみの中にそを聴きにゆく」などを持ち出して、上野駅がいかに東京と地方を結びつける場所として機能してきたか、その歴史的・文化的意義を書きまくった。

妙なもので、書いているうちに、繭美も心情的に「上野を終着駅のままに」の運動を、心底から応援したくなってきた。

最初の上野駅ができたのは、明治十六年のことである。上野から埼玉県熊谷《くまがや》まで「陸蒸《おか》気」が走った。新橋―横浜間に日本最初の鉄道が通ったのが明治五年だから、それから十一年後に、北関東、信越、北陸、東北への近代交通網建設の第一歩が印《しる》されたことになる。

以来、上野駅は、北からの旅人が、東京の空気を吸い、土を踏む、初めての場所として、数えきれないほどの人間の歴史や哀歓を見続けてきた。
ふるさとは遠きにありて思ふもの——と詠《うた》った室生犀星《むろうさいせい》の詩にこんなのがある。

トップトップと汽車は出てゆく
汽車はつくつく
あかり点くころ
北国の雪をつもらせ
つかれて熱い息をつく汽車である
みやこやちまたに
遠い雪国の心をうつす

私はふみきりの橋のうへから
ゆきの匂ひをかいでゐる
浅草のあかりもみえる橋の上

「上野ステエシヨン」より

そうなのだ、上野駅は故郷の匂《にお》いのする広場なのだ。雪の匂い、囲炉裏《いろり》の匂い、稲穂の匂い、日本海の匂い、おふくろの匂い……そういったものがゴッタになって、わーっと、周りを暖かく包んでくれる場所なのだ。貧しさゆえに故郷を捨ててきて、貧しさゆえに故郷に還《かえ》れない人々が、コンコースの片隅で涙をこらえて佇《たたず》む姿が似合うところなのだ。

上野は東京で唯一の——いや、日本で唯一の終着駅といっていいのかもしれない。東京駅も大阪駅も単なる「終点駅」であって、「終着駅」のイメージはない。いわば、日本中の終着駅の、集約されたイメージが上野駅にはある。北からの列車が、屋根に雪を載せて入ってくる。十何本もあるレールは、すべて、だだっ広く改札口が並ぶコンコースに向けて突き刺さるように、行き止まりだ。列車から下りてくる人々と、改札口のこっちで出迎える人々の視線が交錯する。オズオズと手を上げるおばさんがいる。意味もなく頷《うなず》きながらゆっくりと近寄ってくるおじさんがいる。漬物《つけもの》の匂いや干物の臭いが漂って、悲しくもないのに、涙が湧《わ》いてくる——それが上野駅のイメージなのである。地下深くに新幹線のプラットホームができて、トレンディなファッションを装った若者たちが行き交うようになったいまも、上野界隈の住人たちが抱いている「終着駅・上野」のイメージは、変わっていない。

その上野駅が、たとえ新幹線にかぎるとはいえ、終着駅でなくなって、ただの通過駅になってしまうなんてことは、彼らにしてみれば、考えたくもないことだ。

もっとも、上野界隈の街に住む人間が、あげて、新幹線東京駅乗り入れに反対していたのは、ただでさえ斜陽化がいちじるしい上野地区の落ち込みに、いっそう拍車がかかることを警戒するため――というのが本音の部分ではある。

「浅草の二の舞いは踏みたくないからな」

かつて、浅草は日本一の「盛り場」として繁栄を誇った。それが、見るかげもなく凋落《ちょうらく》してしまった。国際劇場が消え、六区と呼ばれた映画館街が消え、いまの浅草には観音様しか残っていない。

上野の街の古い体質を憂える人たちにとっても、新幹線が素通りする日は、そのまま上野の繁栄が終焉《しゅうえん》を迎える日に思えるのだ。

上野広小路《ひろこうじ》やアメ屋横丁に代表される、上野駅周辺の商業は、やはり上野駅を起点とする地方出身者によって支えられてきたことは否定できない。お客もそうだが、店で働く従業員たちの多くも、東北や北陸の出身者が多いのだ。盆暮れに帰省する人々や、出稼ぎを終えて帰る人々は、郷里への土産《みやげ》をここで仕込んだ。

そういった「終着駅」の性格が失われてしまえば、いったい上野駅界隈の拠《よ》り所はどこに求めればいいのか――不安なことではあった。

「繭美ちゃんのとこが、もっと頑張ってくれねえから、住民運動も腰くだけになっちゃったんじゃないの」

蘭歩亭のマスターは、いまだに悔しくてならないらしい。

「だけど、それは過ぎてしまったこと。いつまで蒸し返していてもしょうがないんじゃないかしら」

繭美は運ばれたコーヒーに砂糖をほんの少し入れて、掻《か》き回しながら、言った。

「新幹線の東京駅乗り入れは既定の事実として、もはや動かすことができないんだし、それに、乗り入れ問題に反対するのは、どっちかというと、地元エゴだって言われても仕方がないもの」

「へーえ、マミちゃんがそう物分かりがいいとは意外だなあ。あんたのおやじさんも、そのくらい物分かりがいいとありがたいのだけどね」

マスターは、不満そうに頰《ほお》を膨《ふく》らませ、めっきり白髪の増えた頭の後ろのほうを、右掌《みぎて》でペタペタ叩《たた》いた。

蘭歩亭の「蘭歩」とは、ほんとうは「乱歩」の意味である。江戸川乱歩の小説『D坂の殺人事件』の「D坂」とは、団子《だんご》坂のことだといわれる。蘭歩亭のある三崎《さんさき》坂は谷中《やなか》の坂だが、この坂を下って、不忍《しのばず》通りを渡って向かい側の町——千駄木《せんだぎ》にあるのが団子坂だ。江戸川乱歩は作家になる前に、この近くに住んでいた。乱歩の大ファンであるマスターは、いっそ店の名前を乱歩亭にしようかと思ったのだが、それでは恐れ多いというので「蘭」の字を当てたのだそうだ。

「そんなふうに言わないでくださいよ」

藺美はマスターの皮肉に苦笑した。

「所詮《しょせん》はうちなんかはミニコミ誌でしかないのだもの。それに、あれ以上、反対するのは、JRに対する内政干渉だって言われても仕方がなかったでしょう。そんなことより、むしろ上野駅そのものを守る運動を推進するほうが重大だわ」

「そうだよ、新幹線どころか、肝心要《かんじんかなめ》の上野駅をぶっこわそうってんだからな、そっちのほうがよっぽど心配だよ」

時計屋のだんなが取りなすように言った。

「それに、不忍池のこともあるしさ。いや、目下の急務は不忍池じゃないの」

「そうだな、不忍池の問題のほうが、差し迫っているよなあ。まったく、不忍池をタライにして、どうしようってんだろね」

マスターもすぐに方向転換をした。

不忍池の底をコンクリートで固めて、池の下全体を巨大駐車場にしようという計画が、台東区議会で論議されつつあるという情報が流れたのは一年前のことだ。

不忍池は上野の山や西郷さんの銅像と並んで、上野界隈の象徴的風景の一つである。

不忍池が「池」として成立したのは、おそらく四、五百年むかしだろうといわれている。それ以前はこの辺りは海だった。そのころは上野の台地は海に突き出た岬で、縄文人たちが住んでいた。本郷弥生町《ほんごうやよい》で貝塚が発見され、「弥生式文化」の名称が生まれたことはよく知られている。

平安時代ごろから東京湾の海は後退し、その過程でいくつもの沼や池を残した。その一つが不忍池である。

徳川時代に入り、天海《てんかい》大僧正が上野寛永寺《かんえいじ》を造営した際、上野山を比叡山《ひえいざん》に見立て「東叡山」と名付け、不忍池を琵琶湖《びわこ》に見立て、竹生島《ちくぶしま》を模して弁天島を築いた。以来、不忍池は江戸名所の代表格になった。

その不忍池をいちど掘り返して、地下五層の駐車場を建設しようという計画が、青写真から予算措置の検討段階にまで進んでいるというのである。

父親の峰雄《みねお》からその情報をはじめて聞いたとき、繭美は呆れて、思わず「うっそ」と言ってしまった。とても正気の話とは思えなかった。

「いや、どうやら本当らしいよ。区役所内にプロジェクトチームができたし、区議会にも専門の委員会が発足したそうだ」

「だって、そんなことしたら、不忍池の生態系はどうなっちゃうの？　ハスは？　水鳥だって飛来しなくなっちゃうわ」

「いや、もちろん、駐車場が完成すれば埋め戻しはするだろうさ。そうそう、計画の中には、駐車場の天井をガラス張りにして、魚が泳ぐのを見られるようにするとかいう案もあったそうだ」

「ばっかみたい、何を考えてるのかしらねえ……」

行政にしろ議会にしろ、台東区に住む人間であることには変わりがない。その連中の頭の中からそういう突拍子もないアイデアが生まれることそのものが、繭美には信じられない気がした。

しかし区はかなり本気で「不忍池駐車場建設計画」に取り組んだ。そのまま放置しておけば、開発研究費が昨年度の予算に組み込まれる勢いだったのである。

「広小路界隈の商店は、何が何でも推進しろとハッパをかけているよ」

峰雄はそう言って、娘の反応を見るように、目を細めて背を反らせた。

繭美の家――大林《おおばやし》家は三代つづけて文房具店をやっている。父親の峰雄は一人っ子で、外見も言うことも、一見、おっとりタイプのようでいて、どこでどう仕入れてくるのか、町の情報には精通している。もしかすると、繭美の情報に対する嗅覚《きゅうかく》は、父親ゆずりなのかもしれない。

藺美が五年前に「谷根千マガジン」を創設して、地元の情報誌『谷根千界談』を発行しはじめたとき、峰雄は批判めいたことは何も言わず、印刷用の紙をはじめ、当座必要なものをどんどん提供してくれた。

「谷根千」というのは「谷中」「根津《ねづ》」「千駄木」をひっくるめた地域――のことで、藺美が命名した。

この辺りは、江戸時代はともかく、明治、大正の古きよき時代の雰囲気をふんだんに残す、いわば東京の原風景の最後の砦《とりで》といった街である。その原風景を侵害するものに対しては、相手が誰であろうと、全力で抵抗するのが、自分や谷根千マガジンの使命だと、藺美は固く信じている。

「だけど、何だって、いま駐車場なのよ」

藺美は、まるで駐車場建設計画の元凶が父親ででもあるかのように、嚙《か》みついた。

「議会や商工会あたりで、上野の衰退の原因は、駐車場がないためだという結論に達したらしい。あまりにも上野駅に依存しすぎて、車社会時代への対応を怠ったツケが、いまごろになって回ってきたというのだが、たしかに一理はあるかもしれないな。すでに、いくつかの大手建設会社が、東京都庁以後の大型プロジェクトとして、基本設計を始めたそうだ」

「冗談じゃないわ」

藺美は本気で怒って、すぐに谷根千マガジンのスタッフにその話をした。

谷根千マガジンには、常勤の四人のほかに十人あまりの外部スタッフがいる。その全員が不忍池問題には腹を立てた。それから一年間、『谷根千界談』は不忍池駐車場計画への反対キャンペーンに、エネルギーのほとんどを費やしたといってもいい。

都市計画や建築工学の専門家はもちろん、学者、作家、画家、宗教家、俳優等々、あらゆるジャンルの人々の意見を掲載し、「これでもか、これでもか」とばかりに、計画の撤回を求めつづけてきた。

だが、行政側もしぶとい。当初計画よりはいくらか後退したものの、駐車場計画そのものを撤回する意志はないことを、再三にわたって表明している。

「だけどさ、不忍池のそれって、本気でやるつもりなのかねえ?」

時計屋が聞いた。

「ああ、やるつもりらしいよ。もっとも、ガラス張りだとかいうのは、さすがに止めたみたいだけどね。だよね、藺美ちゃん?」

蘭歩亭のマスターは消息通のように思われているけれど、彼の情報源は、ほとんどが藺美か、彼女の父親からのものである。

マスターは繭美の父親・峰雄より一つ年長で、小学校から中学まで、同じ学校に通った、根っからの土地っ子だ。

谷中は関東大震災でも、太平洋戦争のときの戦災でも焼けなかった、東京ではごく珍しい土地である。だから、古い家並みがそのまま残っているし、古くからの住人も多い。

「ほんとうですって、このままだと、実現しちゃうかもしれない」

「だけど、そんなところに駐車場ができたって、こっちには影響ねえよな」

時計屋はつまらなそうに言った。たしかに、かりに不忍池に駐車場ができても、谷根千地域はそこから歩いて行ける範囲からは外れる。

「だったら、そんなもん、いらねえや」

「おじさん、そういう問題じゃないのよ。不忍池のいのちの問題なんだけどなあ」

繭美は慨嘆した。賛成だ反対だといっても、住民の多くは、自分の利害得失に関係があるかないかによってのみ判断する。

「いのちの問題ねえ……」

時計屋は面倒臭い話になってくると、すぐに腰を上げた。

「ま、とにかく頑張ってよ。じゃ、また来るね」

なんだか捨てぜりふのように言って、背中を丸くして、師走《しわす》の街へ出て行った。

3

「ケン坊に難しいことを言ったって、だめだよ」

マスターは笑った。「ケン坊」とは時計屋のだんなのことである。蜂谷健太《はちやけんた》というのがフルネームで、彼もまた、繭美の父親や蘭歩亭のマスターとは幼馴染《おさななじ》みだ。

「ところで、繭美ちゃんはどうするのさ」

マスターは訊いた。

「おやじさんに訊いても、さっぱり要領を得ないんだけど、当分、嫁に行きそうもないらしいとかさ」

「ああ、その話」

繭美は苦笑して、そっぽを向いた。

「もういい年なんだろ？　二十六か、いや、七じゃなかったっけ？」

「どうでもいいわよ、そんなもの」

本当は「八」になったところだ。『谷根千界談』を始めてからでも五年経った。結婚どころではない毎日を突っ走ってきたけれど、そのことについて悔いはないし、今後の展望だって、しっかりしているつもりだ。

しかし、正直なところ、繭美は結婚の話に弱い。父親が早く結婚させたがっていることも、承知している。

母親の美由紀《みゆき》が、去年の秋、突然に逝《い》ってしまった。まだ五十になったばかりの若さだった。その直後、峰雄は「おれも死にたいよ」と、洩《も》らしていた。あれはかなりの部分、本音だったような気が、繭美はする。しばらくのあいだは、父親の動向を、それとなく注視していたものだ。

美由紀が元気なころは、店を拡充して、若い人が好きそうな小物類も置いてみようか、など、夫婦で話しあっているのを、繭美は微笑《ほほえ》ましく聞いていた。

繭美の作った『谷根千界談』のせいもあって、谷中や根津、千駄木辺りを散策する人々の数が増えた。いつのまにか、地下鉄根津駅から「藪下《やぶした》通り」「団子坂」「三崎坂」などを経由して「寛永寺」「谷中霊園」「富士見坂」から西日暮里《にしにっぽり》駅までの「谷根千散歩コース」なるものも定着した。はじめは年配の人が多かったのが、しだいに若い女性たちの比率が多くなって、「菊見せんべい」「谷中せんべい」はもちろん、張子の店「伊勢一」だとか、文楽人形の店「文七」、江戸千代紙の「いせ辰」だとかいった店を冷やかすのが、いまやトレンディなのだそうだ。

美由紀も、もともとそういう、江戸小物のようなものに趣味のある女性だったから、文房具ばかりでなく、いろいろと遊びのある店にして、楽しみたかったにちがいない。店の設計図も自分で描いて、専門の設計士に注文を出すばかりになった直前、脳溢血《のういっけつ》で倒れ、あっけなく逝ってしまった。

峰雄はすっかりやる気を無くしたらしく、しばらくのあいだは、店をバイトの女性に任せて、老人のようにぼんやりと日を過ごしていた。

「あんなこっちゃだめになっちゃうよ」

蘭歩亭のマスターは、ときどき繭美に注意してくれた。

「まだ五十六じゃないか。これから、ひと花だってふた花だって、咲かせようって気にならなきゃいけねえよ」

死んだ母親がまだ娘だったころ、蘭歩亭のマスターが父親の峰雄と「恋がたき」だったと、時計屋のだんなから聞いたことがある。町内一の美人と噂《うわさ》の高かった美由紀を挟んで、すんでのとこ、血の雨が降るところだった――と、時計屋は面白そうに話していた。あの父親に、そんな甲斐性《かいしょう》があったとは、にわかには信じがたい気もしないではないが、その話を聞いて以来、繭美は父親のことも、それにこの町のことも、いっそう好きになったものである。

いまどき、東京のどこへ行ったって、血の雨が降るほどの「恋の鞘当《さやあ》て」などありっこない。そういえば——と、あらためて見渡してみると、谷中には江戸の気風が残っていそうな気がしてくる。

日暮里《にっぽり》駅を出て、経王寺《きょうおうじ》の前を通って、「夕焼けだんだん」を下りたところの通りを「谷中銀座」というのだが、そこに並ぶ店たちは「銀座」の名前が恥ずかしいほど、前近代的でチマチマしている。魚屋や八百屋、おでん種の店、本屋、雑貨屋、そば屋等々が、およそ無秩序そのもののように軒《のき》を連ね、その無秩序ぶりが奇妙に統制された雰囲気をかもし出している。

谷中銀座のどんづまりにある、妙にだだっ広い石段に「夕焼けだんだん」という名前をつけたのは、じつは繭美である。ここから、本郷の高台越しに見る夕焼けが、とても美しい。

谷中銀座というけれど、全長一五〇メートルばかりの通りの半分近くは、完全には台東区谷中ではなく、荒川区西日暮里との境界線になっている。夕焼けだんだん付近は、道路の両側とも、西日暮里の地域にすっぽり入ってしまう。それでも、何となく、その石段までを許容範囲に含めて「谷中銀座」と言いたくなるような、ちょっとしたコミュニティが成立していた。現に、石段下の武藤書店など、れっきとした西日暮里であるのに、ちゃんと『谷根千界隈』を置いてくれている。

「あそこには、まさに五十年前に、僕が子供だった時代の東京の記憶が生きているね」

地元在住のある作家が語った言葉である。この付近には、明治のころからいまにいたるまで、作家や画家、音楽家、学者といった、いわゆる文化人が多く住みついた。『キッチン』や『TUGUMI』の吉本ばななもこの土地の生まれだ。そういう人材が生まれる土壌だとか空気のようなものが、この界隈にはあるらしい。

蘭歩亭を出て、三崎坂を登りつめたところから左に折れ、谷中霊園の少し手前の道を行くと、夕焼けだんだんの上の道に出る。石段の上に立つころには、ちょうど夕焼けが始まる時刻になっていた。

谷中銀座を通ると、決まって道路の両側の店々から声がかかる。繭美はこの街ではちょっとした「顔」なのだ。繭美の実家――大林文具店と同じ三代目の、魚亀鮮魚店の跡取り息子は、繭美のクラスメイトで、近頃はしきりに、「区議会議員にでも立候補したら」などと勧めてくれる。もちろん、繭美は笑って取り合わない。谷根千マガジンの仕事は、イデオロギーを持ったらおしまいだ――と思っている。

谷中銀座のゆるい坂を下りきると、「よみせ通り」にぶつかる。そこを右へ、ほんの五〇メートルほど行った右側が、大林文具店である。

店にはお客が数人いて、バイトの女性だけでは手が足りないのか、珍しく父親の峰雄が客の応対をしていた。

「なんだ、やけに早いじゃないか」

藺美を見咎《みとが》めて、言った。

「違うのよ。明日の午前中に版下を下ろさなきゃいけないから、たぶん徹夜になると思うの。着替え、取りにきただけ」

谷根千マガジンは千駄木の路地裏にある。ふつうの民家を借りて、仕事場兼住居として使っている。ふだんは藺美一人の住まいだが、仕事が追い込みのときなど、スタッフが三、四人もゴロ寝することも珍しくない。

「そんなことやってちゃ、ほんとに嫁の貰《もら》い手はないな」

峰雄は溜め息まじりに言った。

「父さんこそ、早く嫁さん貰えばいい」

「ばか、何てこと……」

慌てて周囲を見回した。客の女子高生がクスッと笑った。

「ところで、今夜の説明会、どうしたらいいかな？」

峰雄は照れ隠しのように、話題を変えた。

「ああ、駅ビル問題のあれ？　父さん、出るの？」

「いやだけどさ、出ないわけにいかないだろう」

上野駅を取り壊して、新駅ビルを建設する計画は、すでに机上プランの段階から、実施に向けての作業が始動していた。現在の上野駅は昭和七（一九三二）年に完成したもので、老朽化がひどく、また現在の社会状況や周辺部の都市計画にそぐわない面が多い——というのが、JR側の基本的な考え方だ。

計画では、地上六十七階、地下五階、高さ三〇四・七メートルの超高層ビルということになっている。当初計画では二三〇メートルだったのが、いつのまにか、東京都庁の二七〇メートルや一九九三年に横浜に完成予定のランドマーク・タワーの二九三メートルを上回るものに変更された。その背景には、何がなんでも日本一を目指したようなニュアンスが感じ取れる。このビルが完成すれば、上野の杜《もり》の景観は一変してしまうだろう。

それはいいとしても、ビルの一階から十二階までを、売場面積が日本橋三越に匹敵するデパートとすることが、地元商店街や既存のデパートを脅かしている。七百五十台収容の駐車場を併設することで、お客の吸収力は圧倒的なものになるだろう。従来は横断歩道を渡れば、すぐ目と鼻の先だったアメ横へ行くにも、かなりの大回りを強いられることになるらしい。

それやこれやで、地元は、行政当局が賛意を表しているだけで、商店街はもちろん、庶民的な町の温《ぬく》もりが好きな、むかしからの住民の多くが反対の姿勢だ。

そうした住民の抵抗を、多少なりとも緩和しようと、JR側は、地区ごとに「説明会」を開いている。

「いやだなあ……」

繭美がいるあいだじゅう、峰雄はしきりにボヤいた。そういう硬い話しあいの場が、苦手な性格なのだ。

「いやなら出なきゃいいのに」

「そういうわけにいかないって。ここに住んでいれば、義務みたいなものだから」

「だったら、出て、反対だって言えばいいじゃない」

「そう、おまえみたいに、簡単に言ってすませるものでもないさ」

「あら、じゃあ、賛成なの、父さん？」

「ん？　いや、賛成っていうわけじゃないけどさ」

「ないけど、どうなの？」

「いや、どうってことないが……どうなんだろね繭美、駅ビルってのは、絶対に悪いものなのかね？」

「悪いと思っているから、反対しているんじゃないの。あら、ということは、やっぱり父さん、賛成派なの？」

「違うって！　どうしておまえたちは、賛成か反対か、どっちかに決めつけないと気がすまないんだろうねえ。まるで魔女狩りみたいじゃないか、そういうのって」

父親が珍しく怒った顔をするのを見て、繭美は「へえー……」と、感心したように、その顔を眺めた。

「そういえば、父さんて、自分の主義主張を通そうとしたこと、あまりないみたいね。少なくとも、私の記憶にはないわ」

「そんなことないさ」

言ったものの、峰雄は狼狽《ろうばい》したようにそっぽを向いた。

「しかし、何がなんでも駅を新しくしちゃいけないって言ったんじゃ、議論にも何にもなりゃしないだろうに。上野駅が古くて不便なのは事実なのだし」

「だけど、いきなり超高層はないわよ。機能のことばかりで、周辺の景観だとか文化だとかいったものへの調和を、少しも考えようとしない姿勢が問題なのよ。それをゴリ押しに押しつけようっていうのが気に食わないわねえ」

「文化か……」

峰雄は娘相手に議論するのが、いかにも億劫《おっくう》そうに、どうでもいいような、棚の片付けを始めた。

「街の中に、ところかまわず看板をおっ立てたり、歩道にまで商品をはみ出させたりしている風景が、文化的とは、とても思えないけどねえ」

「それと上野駅とは、別問題よ」

繭美は心外そうに口を尖《とが》らせたが、父親はもはや振り向こうとしなかった。

第二章　谷中《やなか》霊園

1

クリスマスも過ぎ、年の瀬もいよいよ押し詰まった。人々はいそがしげに楽しげに、暖冬の街を行き交っている。

もっとも、浅見にとっては、暮れも正月もどうでもいいようなものであった。男も三十三にもなってまだ独りでいると、世間の風はどことなく冷たく感じられるものである。兄夫婦の娘と息子にクリスマスプレゼントとお年玉を上げるくらいが、居候の尊厳を保つ、ささやかな行為だ。

誰もいないリビングルームで、例年どおり御用納めの記事が出た夕刊を眺めていて、浅見は思わず「あっ」と声を発した。

——帰省を前に自殺・岩手の青年
　　殺人事件の容疑を苦にか？——

けさ七時ごろ、東京台東区谷中の谷中霊園を散歩中の人が、男の人が首を吊《つ》って死んでいるのを見掛け、警察に届け出た。警視庁と下谷《したや》警察署で調べたところ、死んでいたのは岩手県出身の会社員・寺山孝次（二六）さんで、遺書等はなかった。会社の同僚等の話によると、寺山さんは先月、東京、不忍池近くで起きた殺人事件に関して警察で取り調べを受けているため、そのことを苦にして自殺した可能性が強いということだ。

寺山さんは二十九日には郷里の岩手県遠野《とおの》市に帰省する予定で、独り住まいのアパートの部屋には両親への土産品が残されており、同僚の涙を誘っている。

上野警察署松沼忠男《まつぬまただお》刑事課長の話　寺山さんに事情聴取を行なっていたのは事実ですが、容疑者としてではなく、あくまでも参考人として話を聞いただけです。取り調べに行き過ぎがあったというような事実は絶対にありません。


浅見はすぐに軽井沢の内田に電話した。

「見ましたか？」

内田が電話口に出ると、浅見はいきなり、そう言った。少し声が上擦《うわず》っていたかもしれない。

「ああ見たよ、すごいものだ」

「すごいって……そういう言い方が妥当だとは思えませんけどねえ」

「そうかね、いや、僕はきみのようにボキャブラリーが豊富な秀才じゃないからね、ごく直截的《ちょくせってき》な表現しかできないのだ」

「それにしたって、もう少しほかに言いようがあるでしょう。そういう、まったくの他人事《ひとごと》みたいな言い方でなく、いくらか同情するような……」

「同情？　何を言っているんだい、まだ被害が出たわけじゃないよ」

「被害は出ているじゃないですか。現に死んだのですよ」

「えっ、本当かい？　死んだの？　どこでさ？　北軽《きたかる》のほうかな？　ぜんぜん知らなかったが」

「何を言ってるんですか、谷中ですよ」

「ヤナカ？……というと。どの辺かな？」

「谷中も忘れたんですか？　かりにも内田さんは東京生まれでしょうが。それとも、もうボケがきたのですか？」

「ばかを言っちゃ困るね。ボケなんか……おいおい、そのヤナカというのは、谷中の墓地の谷中のことかい？」

「そうですよ」

「驚いたなあ、ほんとに谷中なの？　そんな遠くまで噴石が飛んでいったのかい？」

「噴石？　谷中にあるのは墓石ですよ」

「じゃあ、墓石が倒れて、それに当たって死んだのかね？」

「違いますよ、縊死《いし》ですよ、首を吊って死んだのです。呆れちゃうなあ、何も知らないんじゃないですか」

「ちょっと待ってくれよ。浅間山の噴火でどうして首を吊らなきゃならないんだ？　風が吹くと桶屋《おけや》が儲《もう》かるというのはあるが」

「は？　浅間山の噴火ですって？」

「そうだよ、何の話をしているんだい？」

「浅間山が爆発したのですか？」

「いや、爆発というほどじゃないけどさ。さっき見てきたが、すごい噴煙だった。すごいとしか言いようがなかったね」

「内田さんが見たっていうのは、浅間山の話だったのですか？　ばかばかしい」

「ばかばかしいとは何だ。じゃあ、そっちは何を見たって言ったんだい？」

「だから、自殺ですよ、自殺をしたという記事を見たんです。まだだったら、夕刊を見てくれませんか」

「夕刊？　そんな下品なものは軽井沢には存在しないのだ」

「あ、そうか……軽井沢では夕刊の配達がないのでしたっけ」

「ああそうだよ。それどころか、うちの隣の家なんか、主要道路からちょっと入ったところにあるというだけの理由で、朝刊も配達してくれないそうだ。そんなら他で取るからいいと断ったら、何のことはない、ここには新聞屋は一軒しかなくてね、恥をしのんで頼み込んで、表通りに新聞受けを作ったという、笑えない話もある。まあ、それはともかく、誰が自殺したって？　例の『旅と歴史』の藤田《ふじた》とかいう編集長かい？　あんな売れない雑誌を出していたんじゃ、自殺したくもなるだろうが」

「違いますよ、彼です、ほら、寺山孝次という、例の手紙の主です」

「寺山？……ん？　というと、不忍池近くの殺人事件の、あれかい？」

「そうですよ、彼がけさ、谷中の墓地で首を吊って死んだのだそうです」

「どうして知っているんだい？」

内田は訊いた。浅見は呆れてしまった。

「どうしてって……だから、夕刊にその記事が出ていたって……」

「それは聞いたよ。しかし、浅見ちゃんはどうしてそのことを知っているのかと訊いているんだ」

「ですからね……とにかく記事を読みますから聞いていてください」

浅見はボケのきたらしい内田のために、短い記事を読んで聞かせた。

「以上です、分かりましたか?」

「ああ、分かったよ、きみのダメさかげんがね」

「どういう意味です?」

浅見は憤然として言った。

「だってそうだろう。その記事には、けさ、散歩中の人間が男の首吊り死体を発見したとしか書いてないじゃないか。それにもかかわらず、きみは寺山孝次が、けさ、谷中の墓地で首を吊って死んだと言った。その人物が寺山であることだけは認めるとしてもだよ、死亡時刻が、事実、けさであるのか、本当に自殺なのか、断定できる根拠は何も書いてない。だからどうして知っているのかと訊いたのだ。兄さんのスジで情報をキャッチしたのかと思ってね」

「あ、なるほど……」

浅見は内田の鋭さに感心した。あんなおめでたい顔をしているが、さすがに売れっ子の推理作家だけのことはある。

「じゃあ、内田さんは自殺かどうか疑問だと考えるのですか？」

「そんなこと知るものか。しかし、もし警察の強引な取り調べが原因で自殺したのだとすると、兄さんはつらい立場にたたされることになるだろうな」

「そんなことより、内田さんが寺山さんの手紙を無視したことが原因かもしれないじゃないですか」

「冗談じゃない、無視したのはきみのほうだろう。僕は浅見名探偵にちゃんと依頼の趣を伝えたのだからね」

「そんな責任のなすりあいをしていてもしようがありませんよ。とにかく、僕なりに調べてみることにします」

「そうだね、それがいい。何か分かったことがあったら、報《し》らせてくれ。僕もおよばずながら文殊《もんじゅ》の智恵を貸して上げるよ」

「およばずながら」と謙遜《けんそん》するようなことを言いながら、何が文殊の智恵だ——とは思ったが、浅見は一応「お願いします」と言って電話を切った。

翌朝の各紙やテレビのニュースショウは、いっせいにこの事件を取り上げた。捜査・取り調べに行き過ぎはなかったか――といったテーマで、どちらかというと、警察側に不利な論評が多かったのは、予想されるところであった。

それでなくても、このところの警察は黒星つづきだ。神戸灘《なだ》署の巡査部長が、自分の勤務する派出所にニセ爆弾をしかけたいたずら騒ぎなど、開いた口が塞《ふさ》がらない。

しかし、だからといって、警察側に一方的な落度があったとばかりに決めつけるのも、ブラウン管の前にいるであろう、一般庶民に対して、あまりにも迎合しすぎた姿勢といわざるをえない。その点、馬鹿ばかり言っているようだが、あの軽井沢のセンセは、公平な物の見方をする男だ。浅見は昨日の内田の言葉を肝《きも》に銘じて、事件に臨むことにした。

寺山は谷中の墓地で死んだとはいえ、「自殺」の原因になったのは不忍池近くの殺人事件である。浅見はとりあえず、捜査本部のある上野警察署に出掛けてみた。

警察署の玄関付近は、報道関係者でゴッタ返していた。やはり、「警察の取り調べ云々《うんぬん》」の記事に、マスコミはワッとばかりに飛びついたらしい。

浅見が玄関前でウロウロしていると、顔見知りの新聞記者が浅見を見掛けて寄ってきた。A紙の桜場《さくらば》というまだ若い男で、以前、ある事件でスクープのネタを提供して以来、浅見に傾倒している。

「名探偵が登場したとなると、何かあるのですか?」

いきなり言い出したから、浅見は慌てて桜場を引っ張って、近くの喫茶店に入った。

「名探偵だなんて、人聞きの悪いことを言わないでくださいよ。たまたま通りかかっただけなんですから。しかし、すごい騒ぎですね、何かあったのですか？」

浅見は、とぼけて訊いた。

「あれ、浅見さん、読んでないんですか？　昨日のうちの夕刊でスクープしたのですが、谷中で自殺した男の記事」

「ああ、それなら見出しだけチラッと読んだけど、しかし、谷中で起きた事件なら下谷署の扱いじゃないのかな？」

「事件そのものは下谷署ですけどね、自殺の動機がここの署での行き過ぎた取り調べにあったというのですよ。遺書にそう書いてあったのです」

「あ、遺書があったのですか？」

「いや、正直にいうと、遺書みたいなものというべきですけどね。それに、会社の同僚の話なんかを参考にすると、寺山――自殺した被害者の名前だけど――彼は相当、参っていたそうだから、どうも取り調べに行き過ぎがあったことは否定できないらしいですよ。近頃の警察は、過激派対策でくたびれ果てているせいか、ちょっとおかしいんじゃないかなあ」

「なるほど……」

兄・陽一郎の手前もあって、浅見は警察に対する悪口には、あまり同調できない。相手は、よもや浅見が警察庁刑事局長の弟とは知らずに喋《しゃべ》っているのだが、それだけに、彼の言葉が庶民感覚の本音であることは認めないわけにいかなかった。

「それにしても、その男——寺山っていいましたっけ、彼が谷中の墓地で死んだのは、何か理由でもあるのですかね？」

浅見は訊いた。

「さあねえ、そのことはべつに、何も聞いてないけど。まあ、あそこは静かだし、首吊りに具合のいい枝ぶりの木もあるだろうし、寺山の故郷の岩手県にも、それに冥土《めいど》にも近いからじゃないですかね」

桜場は「ははは」と、乾いた声で笑った。桜場は新聞記者としては、若いけれど有能な男で、浅見も嫌いなタイプではないけれど、そういう彼を含めて、マスコミの人間なんて、同情的なポーズはしていても、所詮《しょせん》は、ほとんどの場合、興味本位のとらえ方で事件を見ているものである。

「ところで桜場さん、寺山が警察に調べられるきっかけになった殺人事件のほうは、どうなっているんですか？」

「ああ、こっちの事件のほうは、さっぱりらしいですよ。われわれはずっと追っ掛けていたのだけど、もう、かれこれひと月になるっていうのに、ぜんぜん捜査が進展する気配がないもんで、すっかり見限っていたのです。ところが、今回の自殺事件でしょう、またぞろ話題沸騰ですよ。もっとも、警察にとっちゃ、迷惑この上もないってところかな。といっても、刑事の中には、寺山が死んだのは、彼が犯人であることの証明だ——なんて言うのもいたりしますけどね」

そういう考え方が出るであろうことは、浅見にも納得できた。

「それじゃ、下手すると、寺山の自殺によって、こっちの事件のほうも幕が下ろされるかもしれませんね」

「たぶん、そんなところじゃないかと思いますよ」

「その殺人事件のこと、詳しく教えてくれませんか」

「いいですよ。そうだな、報道されている以外にも、いろいろ取材したことがありますからね、警察が投げ出したとしても、浅見名探偵なら、何か思いつくかもしれない」

桜場は気のいい男だ。手帳のメモを見ながら、事件の概要を話してくれた。

事件が起きたのは十一月二十五日の深夜のことである。

上野不忍池の西、不忍通りを挟んだ向かい側のブロックに境稲荷《さかいいなり》神社というのがある。神社の西は東京大学の敷地で、ここは台東区と文京区の境になっている。

その夜、いつもどおり、不忍池界隈をパトロールしていた上野署署員が、稲荷神社の北側の植え込みで、男が死んでいるのを発見した。

男は植え込みに寄り掛かるようにしていたので、巡査ははじめ、酔っぱらって眠っているのかと思った。後に聞き込み調査を行なった際、巡査が発見する直前、近所のホテルの従業員が、ホテルの裏口を出て帰りがけに、チラッと目撃していることが分かった。その彼も、巡査と同じように、ただの酔っぱらいと思ったそうだ。

十一月末ともなると、いつもの年ならかなり冷え込んで、ときには凍死者が出ることもあるのだが、今年の暖冬異変ではその心配はなさそうだ。しかし、このまま放置しておくわけにもいかないので、巡査は声をかけ、肩に手をかけて揺すった。そして男がじつは死んでいることが分かった。

死因は絞殺によるものであった。後頭部に打撲痕《だぼくこん》があったので、犯人は背後から鈍器で一撃し、気を失ったところをロープで首を締めて殺したものと推定できる。

男の身元は、スーツのポケットに名刺入れがあったので、すぐに分かった。

男は和田史男《わだふみお》という四十二歳の会社員で、住所は東京都杉並区荻窪《おぎくぼ》――であった。

和田史男の勤務先は「若岡《わかおか》商事株式会社」という中堅商社で、和田はそこの企画部の部長付という肩書であった。企画部というのは、デベロッパー関連のプランニングを行なうセクションで、建築ブームやリゾート開発ブームで、会社の中ではもっとも多忙といわれている。その「部長付」という職種は、会社の説明によると、遊撃的にいろいろな仕事をしてもらう立場で、有能な社員を起用しており、ランクは課長待遇だそうだ。

解剖の結果、和田はかなり多量のアルコールを飲んでいたと見られた。同僚等の話によると、和田はふだんの仕事ぶりは、切れ者といわれる男なのだが、酒癖の悪いところがあって泥酔《でいすい》するとしつこく絡んだり、ときにはどうでもいいことに難癖《なんくせ》をつけて、喧嘩《けんか》を吹っ掛けたりもするので、仲間うちでは敬遠されるタイプだったそうだ。したがって、当初、捜査本部では酔っぱらい同士の喧嘩による、偶発的な殺人事件と見たのだが、絞殺にロープを用いていること。また、そのロープが現場付近に見当たらないところから、一応、怨恨《えんこん》等による計画的犯行のセンも考慮に入れて捜査を進めることにした。

被害者のポケットには、名刺入れのほかに一葉の写真が入っていて、それが問題の寺山孝次のものであった。

警察が関係者に当たってみた結果、その写真に写っている五人の人物は、いずれも被害者・和田史男とは何の関係もないと思われ、和田がなぜその写真を持っていたのか、誰もまったく見当がつかなかったという。

その写真の出所は比較的、早い段階で分かった。渋谷駅近くのＤＰ屋が扱ったもので、客は馴染みの人間だった。写真はサービスサイズで五枚焼き増しされている。その写真の持主の五人も、すぐに割り出され、そのうち四人までは当日のアリバイがはっきりしていることが判明した。

そして、残った一人が寺山孝次だった。

「警察では、そう大して過酷な取り調べをしたわけではないと言ってますがね、寺山のほうはかなりつらかったみたいですよ」

桜場記者はそう言っている。

被害者がなぜ寺山の写真を所持していたのか——は、結局、はっきりしなかった。寺山が写真を紛失していることは事実だったが、それを、いつどこで無くしたのか、まして、和田という男が、なぜその写真を所持していたのか、まったく分からないと主張したそうだ。しかし、警察はそんなはずはないと睨《にら》んだ。寺山と被害者とは、どこかで接点があったことはたしかなのだ。たとえば酔っぱらい同士で絡みあって、その際、写真の受け渡しがあったにちがいない。

警察はそう考え、その点を執拗《しつよう》に攻めたてたであろうことは、想像に難くない。

「可哀想《かわいそう》に、寺山はノイローゼみたいになって、こうなったら、自分で疑いを晴らしてやる——とか言って、仕事を終えると、どこかへ出かけて行ったそうですよ」

「どこかへ、というと、真犯人を探しに、ですか」

「たぶん、そういうことでしょうね」

浅見は驚いた。驚くと同時に、そこまで追い詰められた寺山に、救いの手を差し伸べてやれなかったことを、いまさらのように悔やんだ。

2

下谷署では、寺山孝次の死を「自殺」と断定して正式に発表した。それと同時に、上野署の捜査本部も、和田史男殺害の犯人を寺山であると推定する形で、捜査を打ち切ることになりそうな気配であった。

その理由は、和田史男を絞殺したロープの痕跡と、寺山が自殺に用いたロープとが、ほぼ一致したからである。

「そんなばかなことがあるか」と、軽井沢のセンセは電話で大声を出した。

「浅見ちゃん、きみはそれを鵜呑《うの》みにしているのか？」

「そうは言ってませんよ」

「そうだろうね、そうであってもらいたいものだ。寺山は自殺なんかする理由はないよ。現に、真犯人を探すと言っていたのだろう？　それが急転直下、なぜ自殺したりするものかね？　ロープが一致したのなら、自殺どころか、同一犯人による連続殺人と見るべきではないか」

なまじ推理小説など書いているだけに、内田は想像をたくましゅうして、いろいろと勝手な状況を設定したがる。

「ただしですね」と、浅見は内田の憤慨を宥《なだ》めるように言った。

「寺山と和田史男との関係ですが、まったく繋《つな》がりがないとは言えないことは分かったのだそうです」

「なに？　関係ありなのか？」

「ええ、現在進んでいる、東北新幹線の東京駅乗り入れのための地下工事、例の陥没事故があった、あれの掘削工事に、二人とも関係しているのですよ。といっても、むろん、同じセクションで働いていたわけじゃありません。寺山は現場ですが、和田のほうは資材調達に関連する会社の営業部長付という、いわば課長クラスの男だったというのです」

「ふーん、それで、二人の接点はあったのかい？」

「いや、それがどうも、なさそうなのです。和田はあくまでも事務職ですからね。僕が和田の会社の同僚に聞いたかぎりでは、現場を視察するといったことも、まったくなかったようです。逆に寺山のほうは、孫請けの、人集め専門みたいな会社の従業員ですからね、工事現場を離れることはありません。しかし、警察は必ずしもそうは見ていないらしい。一度や二度ぐらいはどこかで会って、顔見知りの間柄だったのじゃないかと思っているようです。もっとも、たとえ顔見知りでなくても、単純に、酔っぱらい同士、ゆきずりの喧嘩というセンもありますからね」

「なるほど、どうでも、寺山の犯行にしてしまわないと、気がすまないというわけか」

内田は舌打ちをして、「それで、結論として、浅見ちゃんの見解はどうなのさ？」と訊いた。

「殺しでしょうね」

浅見はあっさり言った。

「殺し——とは？」

「だから、真犯人はべつにいるという意味です」

「えらい！」

内田はいかにも単純人間らしく、ごく単純な賞《ほ》め方をした。自分の考えに沿った意見に対しては、手放しで賞賛する。

「それじゃ、すぐに捜査を始めるのだね。きみの報告が入るのを、ワープロの前で、首を長くして待っているよ」

言うだけのことを言うと、さっさと電話を切った。この分だと、また事件簿を小説ふうに書いて、売る気らしい。

「真犯人はべつにいる」と言ったものの、浅見に確証があるわけではなかった。ただ一つ、こだわるとすれば、なぜ谷中霊園だったのか？——という点である。

警察は自殺と断定しているから、それこそ新聞記者の桜場ではないが、郷里に近いし墓場にも近い場所を選んだ、ぐらいにしか考えていないのだろう。

しかし、もし殺人事件だとしたら、なぜ谷中の墓地が犯行現場に選ばれたのか、その必然性に興味を惹《ひ》かれる。

浅見はまず、下谷署に行って、自殺と断定した根拠について聞いてみることにした。ただのルポライターとして行ったのでは、相手にしてもらえないのではないかと思ったが、そんなことはなかった。警察のマスコミに対する対応がよくなったのか、それとも、たまたま会った刑事が好人物だったのかもしれない。

「山田《やまだ》といいます」

名刺の肩書は巡査部長だった。いわゆる部長刑事である。どこも空いている場所がないもので——と、狭い取調室に浅見を案内して、山田部長刑事はそう名乗った。かすかに東北の訛がある。

「岩手の人だったそうですね」

浅見が言うと、「よく分かりますなあ」と嬉《うれ》しそうな顔をした。浅見は死んだ寺山のことを言ったつもりだったのだが、思わぬ収穫になった。

「盛岡の在でした。東京に出てきたのは十五の歳だから、もう、かれこれ四十年になりますなあ」

感慨にふけっている。中学を出て、たぶん就職のために上京して、警察官への道を進んだ——どういう事情がその間にあったのかは知らないけれど、浅見が生まれる前の社会の風景が、少しくたびれかかった部長刑事の顔を通して、見えてくるような気がした。

「そういえば、自殺した寺山さんも、たしか岩手県の出身じゃありませんでしたか？」

「そうです、岩手県の遠野の人でした。彼も東京に働きに出てきておったそうで、他人事とは思えませんな」

「自殺の原因が、警察に殺人の疑いをかけられたためだとか聞きましたが」

「いや、そんなことはねえでしょう」

山田は渋い表情になった。

「そういう噂《うわさ》はあるかもしれないが、事実とは考えられないですな」

「だとすると、警察は自殺の原因を何だと考えているのですか?」

「それは分かりません。遺書がないもんで、はっきりしたことは何も分かっていないのです」

「遺書はないけれど、遺書めいたものがあって、それに、警察の取り調べがきついとか、そういうことが書いてあったのではありませんか?」

「それはたぶん、取り調べがきついというのは本当のことでしょう。他署のことだから、何とも言えませんが、きつくない取り調べなんてものはありませんからな。しかし、そのために自殺するとは考えられんでしょう。現に、寺山さんは、自殺する前日、友人に真犯人を探すとか言っておったそうです。もしそれが事実であるなら、取り調べのきついのに辛抱できなくて死んだとは思えませんな」

「かといって、寺山さんの自殺が、警察の取り調べと無関係だとも思えないのではありませんか?」

「ああ、それはそうです」

「だとすると、結論は、要するに、警察の追及から逃れられないと観念しての自殺——ということになるのですか?」

「うーん……それはですなあ、なんとも言えんですなあ」

「しかし、世間はそう見ますよ。ことに郷里の身内の人たちは、きっと肩身の狭いことになっているのではありませんかねえ」

「それを言われると、たしかに辛いところですな。いや、同じ岩手県人としてです」

「それ以上に、もし無実だとしたら、寺山さんはさぞかし辛かったし、無念だったでしょうね」

「無実って……あんた、浅見さん、そんなことは……いや、無実とか無実でないとか、自分は何も言っておりませんよ」

「心配しなくても、僕は何も書きません。ただ、もし無実なのに汚名を着せられたまま死んだとすれば、人間として、寺山さんの無念を見過ごしてしまうわけにはいかないと思うのです」

「ほう……」

山田部長刑事は、しげしげと浅見を見つめた。

「あんた、寺山とはどういう関係です？」

「べつに、何も関係はありませんが、なぜですか？」

「ただの取材だったら、そこまで同情的になるとは思えないもんでね」

「いや、単に同情して言っているわけではありませんよ。真実を知りたいだけです」

「自殺では真実ではないと言うのですか？」

「ええ、事実とは思えません。第一、死んでから、まだ二日しか経っていないというのに、いち早く自殺と断定するなんて、警察は急ぎ過ぎですよ。まるで、正月が来る前に片づけてしまいたかったように、です」

「………」

山田部長刑事の顔色がサッと変わった。無言でこっちを睨んでいる。浅見は殴られるのではないかと、思わず身構えた。

「すみません、ちょっと言い過ぎました」

浅見はペコリと頭を下げた。

「いや……」

山田は我に返ったようにドアの向こうに気を配ってから、首を横に振った。

「あんたの言うとおりかもしれないです」

「は？」

「いや、正月が来る前にという、それです。そういう気分がなかったとは、正直なところ、言いきれないように思うのです。ここだけの話にしてもらいたいのだが、自分にはそういう反省があります。ほかにも、たぶんそう思った者もいるはずです」

浅見は厳粛《げんしゅく》な気持ちになった。

「こんなことを言ったら、問題かもしれませんが、正直を言うと、自分も、この自殺事件はちょっとおかしいと思っているのです。理由を訊かれると困るのだが、何か変だという……つまりその、三十年も刑事をやってると、犬みたいに嗅覚が発達するのですかなあ、何かくさいのです。もちろん、あんたが言ったように、自殺するはずがないということもあるが、それより、寺山の顔だとか……これは自殺者の顔ではないと、最初に、まだぶら下がっているときに、そう思ったのです。しかし、そんなことは上司に言ったところで通用しませんからな。上のほうで自殺と判断すると言われれば、そうかと思うしかないわけで……そのとき、頭のどこかに、正月が来る前にという気持ちがあったことは否定できません」

山田部長刑事は面目なさそうに俯《うつむ》いたが、浅見は感動してしまった。

「いいですねえ、いい話だなあ。僕はもともと警察が嫌いじゃないほうですが、このところ、いろいろいやな事件があって、好感を持てなくなりかけていたのです。しかし、山田さんの話を聞いて、あらためて警察を信頼したくなりましたよ」

「いや、それは反対でしょう」

山田は、浅見が何か勘違いして受け取ったと思ったのか、当惑げに眉をひそめた。

「ほう……」

「そんなことはありませんよ。山田部長さんのように、ちゃんと見るべきものを見ている刑事さんがいてくれるなら、必ず真相は解明されます」

「そう言われると、何と言っていいのか……自分はともかく、警察としては終止符を打ったわけで……」

「山田さん、どうでしょう、捜査本部を作りませんか」

「は？」

「寺山さんは自殺ではなく、殺害されたものと断定して、捜査本部を開設するのです」

「いや、それは無理ですよ」

山田はさすがに呆れ顔になった。

「いくらわれわれが疑いを抱いていたとしてもです、それだけで捜査本部の開設を進言するわけにはいきませんよ。とにかく、一応、本事件は終わったものですからな」

「それは分かってます。警察に捜査本部の看板がかけられなくても、個人個人の心の中にな ら、勝手に捜査本部を設置できるのじゃありませんか。僕はそうしますよ。山田さんだって、その気にさえなれば、たった一人の捜査本部になれるでしょう」

「……」

山田部長刑事はポカーンとして、しばらくは言葉も発せられない様子だった。しかし、頭の中ではさまざまな想いが渦を巻いているように、浅見には感じ取れた。

「たった一人の捜査本部……ですか」

山田は、ほとんど聞き取れないほどの声で呟《つぶや》いた。

「ええそうです、捜査本部です。そうだ、でっかい文字で『谷中霊園殺人事件』と書きましようか」

浅見は、山田の躊躇《ちゅうちょ》する気持ちを、勇気づけるような勢いで、言った。

3

山田部長刑事とはその夜、御徒町《おかちまち》駅前の風月堂《ふうげつどう》で落ち合った。浅見は約束よりかなり早めに行っていたのだが、山田は二十分あまりも遅れて、寒そうに肩をすくめて入ってきた。外はそう寒いわけではないから、たぶん人を気にしているのだろう。

テーブルは店のいちばん奥まった、照明もあまり当たらない場所にしておいた。

「どうも、悪事を働いているような気分でしてなあ」

山田は苦笑して、言った。「捜査本部」の開設は、平凡に過ごしてきた中年刑事にとっては、少しばかり荷がかちすぎているのかもしれない。

「とりあえず、これまでの事件の概要について、おおまかにまとめてきました」

山田はリポート用紙に細かい文字で、箇条《かじよう》書きのようにしたものを浅見に差し出した。和田史男の事件から寺山の自殺にいたる間の、主として寺山の供述を中心にした取り調べの経過をまとめてある。本来、和田の事件のほうは上野署の管轄だが、寺山の「自殺」を調査する過程で、そっちの事件捜査の経過についても、かなり詳細を知ることができたようだ。

警察が寺山に目をつけたのは、もちろん和田のポケットに寺山の写真が入っていたことが最大の理由である。

しかし、当初は取り調べに当たった刑事のほうも、写真に写っているほかの四人と同様、あまり大した期待を抱いていたわけではなかったらしい。

それが、事情聴取を進めていくうちに、何だか怪しい気配がつのってきた。

取り調べに対して、寺山は和田とは一面識もないと言い張った。それならなぜ和田が写真を持っていたのか——という刑事の質問に対しても、まったく思い当たることはないという答えに終始した。

事実、寺山の同僚・知人を当たっても、和田との接点はないかのように思われた。

ところが、その矢先、事件の数日前ごろ、和田が殺された現場近くの路上で、和田が若い男と話し込んでいるのを目撃した——というタレ込みがあった。

場所は不忍池の南側の、小さなビルや飲食店が密集した街で、地番でいうと文京区湯島三丁目になる。台東区の中に文京区が突出したような、境界線が複雑に入り組んだところだ。

そこのどことまでは言わなかったが、とにかく、新聞やテレビで見た和田とそっくりの男が、若い男と頭を突き合わせるようにして話し込んでいたというのである。

もちろん、タレ込みの男は名前を言わなかったし、和田の相手が誰かも知らないと言って、すぐに電話を切ったが、ほかにも見ていた人間がいるようなことを言っていた。

警察が付近で聞きこみをしたところ、三人から目撃証言が得られた。その日の午後五時ごろ、不忍池駐車場問題についての近所の寄り合いがはねて、会合に出ていた商店主が三人、ビルから出たとき、目の前の路上で、二人の男が立ち話をしていたというのだ。

片方の男が手帳を開き、もう一方の若い男が覗き込んでいた――という様子は、タレ込み電話の内容と合致する。

「ちょっと行く手を塞ぐような恰好《かっこう》だったので、私どもは立ち止まって、文句の一つも言ってやろうと思ったのですが、それに気がついたのか、二人の男はすぐに、少し脇《わき》のほうへ移動しました」

三人の商店主の記憶は、その程度のものだが、和田と寺山の顔写真を見せると、たしかにこの顔だったと、明言した。もっとも、その三人の中に、警察にタレ込んだ人物がいるのかどうか分からない、三人とも、もちろんそのことは否定している。

刑事が寺山にその事実を突きつけると、そういえばそんなことがあった——と認めた。ただ、それは見知らぬ男から道を尋ねられただけで、手帳の地図ばかり見ていたから、相手の顔もろくすっぽ見ていないし、したがって、もちろん憶えていないというのである。そのときの相手が和田という人物であることなど、まったく関知しない——と言った。

寺山は否定したが、警察に指摘されるまで、事実を伏せていたことで、警察の寺山に対する心証はとたんに悪くなった。

もっとも、寺山のほうは、あくまでも警察に言われるまで、まったく忘れていたのであって、何も隠していたつもりはないと主張したのだが、そんな言い訳を素直に信じるほど、警察は甘くない。

それともう一つ、警察の心証を決定的に悪くしていたのは、和田がなぜ寺山の写真を所持していたかという疑問に対する言い訳の仕方である。

寺山は「考えられるのは、写真をどこかで落として、それを何かの理由で和田さんが持っていたか、あるいは、ことによると、真犯人が自分に罪を着せるために、和田さんのポケットに写真を入れておいたのではないか」と話した。

だが、それではいったい、その写真はどこで誰に渡したのかと訊かれると、渡した憶えはない――と言うのである。「おそらく、どこかで落としたのを、犯人が拾ったのではないでしょうか」と、自信がなさそうに言うばかりだった。

寺山がその写真を手にしたのは、十一月十一日のことだ。仲間五人で撮った写真の焼き増しができて、同僚から分けて貰《もら》った。その写真を一張羅《いっちょうら》のジャケットの内ポケットに入れっぱなしにしておいた。それっきり写真のことは忘れていたが、十一月二十日までは、たしかに内ポケットに入っていたような気がするとも言った。

そして、落としたと考えられる場所として、寺山は谷中の蘭歩亭という喫茶店の名前を挙げた。蘭歩亭に行ったのは十一月二十二日、付近を散策した途中に立ち寄った。帰るときにカネを払おうとして財布を出したから、その際、落としたのかもしれない――というのである。

しかし、刑事に訊問《じんもん》され、写真を突きつけられて、ジャケットを調べるまで、写真が無くなっていることに気づかなかった――と寺山は言っていた。

もし、彼の言うように蘭歩亭で無くしたのだとすると、半月ほども写真を紛失したことに気づかなかったことになる。それが第一、不自然だと警察は決めつけた。

それに対して寺山は、あることに気がつくのは容易だが、無いことに気づくのは困難だ――などと、哲学的な言い訳をして、ますます警察の心証を害した。

警察は蘭歩亭に行って、マスターに問題の写真を見せ、写真を拾ったことがあるかどうかを訊き、また寺山の写真を見せ、来店したかどうか尋ねた。

マスターはその二葉の写真のいずれも、ぜんぜん見憶えがないと証言した。たとえイチゲンの客といえども、一度見たお客の顔は、絶対に忘れない——というマスターの言葉にはなかなか説得力があり、刑事は納得して帰ってきた。これによって、寺山への疑惑はいっそう強まった。

しかし、寺山に対して殺人容疑の逮捕状を請求するには、証拠が不備だった。警察はさらに捜査を進める一方で、寺山に別件逮捕の口実がないかどうかを模索した。そして、かつて寺山が万引きをして、スーパーの店長の説諭だけで許されたことがある事実を突き止めた。それについて逮捕状が取れるかどうか検討している矢先、寺山は「自殺」したのである。

「そういうわけですから、警察が和田殺害事件は寺山の犯行であって、寺山は逃れられないものと観念し自殺したと断定したのも、当然のような感じではあるのです」

山田部長刑事は、当惑げに、いくぶん沈んだ声で言った、浅見の言うことを信じて、ついつい「一人だけの捜査本部」を開設するなどと、威勢のいいことを言ったものの、いざ取り掛かってみると、さすがに気が重くなってくるらしい。

「それから、なぜ谷中霊園で自殺したかについてですが」

山田はリポート用紙を畳んで、言った。

「ここにも書いたとおり、寺山は写真を紛失した場所が、どうしても谷中の蘭歩亭という喫茶店か、あるいはその周辺のどこかとしか考えられなかったようで……といっても、あくまでも寺山の言い分が真実であると仮定しての話ですがね。上野署の捜査本部としては、寺山が写真を紛失したと言っていることなど、嘘っぱちだと決めつけているのですからなあ……いずれにしても、単なる見せ掛けかどうかはともかく、仲間の話によると、寺山は警察の疑いを晴らしたいと言って、推理作家のところに手紙を出したり、あっちこっち調べて歩いたりしていたそうです。もちろん、谷中の蘭歩亭にも行ったらしい。そうこうしているうちに、しだいに絶望的な気分になり、谷中霊園の中を歩いていて、衝動的に自殺したのではないか——というのが、まあ、ごくありふれてはいますが、警察の解釈なのですよ。あの霊園では、過去にも何度か、自殺や心中事件がありましてね、ひょっとすると、あそこには人間をそういう気分に誘う雰囲気があるのかもしれませんな」

山田はポツリポツリと、まるで愚痴ばなしを語るように、長い話を終えた。浅見に煽《あお》られる恰好で、他殺説に傾いてはみたものの、ともすれば、やはり「自殺」が正解なのではないか——と、退嬰《たいえい》的な気分に引きずり込まれそうになるのだろう。そういう山田の胸のうちが、浅見にはありありと見えるような気がした。

「山田さん、寺山は殺されたのですよ」

浅見はじっと山田の目を見つめて、静かな口調で言った。

「そのことは絶対に揺るぎないことです、そう信じて見なければ、見えるものも見えなくなりますよ」

「ああ、それは分かっています。分かってはいるのですがね……」

山田は頭を掻《か》いた。

「どうも、凡人には、既成概念を打破するのは、なかなか難しい。それに、上司や同僚の目もありますしね。宮仕えの身としては、ともすると安易なほうへ安易なほうへと行きたくなるのです」

「分かりますよ、山田さんのつらい状況は。しかし、こんなにしっかりしたデータを見せてもらえれば、それだけで、僕の捜査本部はかなり進展できます。これから先しばらくは、僕一人で動いてみましょう。また何かあったら、山田さんに報告しに行きますよ」

「そうですか、そうしてくれますか」

山田は正直に、愁眉《しゅうび》を開いたような、明るい顔になった。

第三章　よみせ通り

1

松が取れるまでは、さすがに反対運動も鳴りをひそめていたが、七草が過ぎるとすぐに、この年の第一回目の会合が開かれた。場所は上野駅前の旅館組合事務所で、ホテル・旅館業者中心の「説明会」だった。

ホテル・旅館業者としては、上野ステーションビルに一千室近い客室を有するホテルが開業されれば、ただちに死活問題になると懸念している。

大林藺美はオブザーバーとして会に出席した。これまでのどの会合でもそうだったが、JR側と地元側の折衝は、結局、平行線を辿《たど》ったまま、物別れになるケースが多い。この日も、双方の論議は噛《か》み合わなかった。JRとしては、既定事実を説明する立場を崩さないし、地元側としては、それ以前の段階に遡《さかのぼ》って、計画それ自体の見直しから俎上《そじょう》に載せようというのだから、どだい無理な話なのである。

ＪＲはすでに完成年度を平成九年——と打ち出している。ＪＲ開業十周年に照準を合わせた、華々しいモニュメントにしたい気持ちがあるのだろう。

それに対して、地元側は、いまだに現在の上野駅を保存したい——という線から一歩も出ていない。これでは水と油そのもの、話の接点がないに等しい。

それでも、議論は所定の二時間を一時間もオーバーした。最後は何も収穫のないまま、怒声の中をＪＲ職員が退場するという、お定まりのパターンで終わった。

日が暮れてから、繭美は疲れきって「谷根千マガジン」のオフィスに戻った。録音テープを副編集長の山崎基代《やまざきもとよ》に渡すと、「ちょっとコーヒー」と言って、街に出た。

蘭歩亭は空《す》いていた。この店にはろくな食べ物はないので、夕食どきは大抵、客が少ない。

「どうだった？」

繭美がいつものように、カウンターに肘《ひじ》をついて、両手に顎《あご》を載せると、マスターは覗《のぞ》き込むようにして訊いた。

「だめよ、いつもと同じ、話は空回りばっかしね」

「だろうね、ＪＲは強引だからな」

「だけど、こっちだって負けてはいませんよ。東京駅のときだって、そうだったのですもの」

東京駅を解体して新しいビルにする計画があったとき、猛烈な反対運動が起き、繭美たちはその中心で頑張った。「赤レンガの東京駅」を守る運動は多くの文化人を巻き込んで、盛り上がり、ついにJRの計画を撤回させたのである。

「そうだよな、なんたって、地元がこぞって反対しているみたいなものだもの。その真っ直《ま》《ただ》中《なか》でゴリ押しできるはず、ないよな」

「ええ」

大きく頷いたものの、繭美には一抹の不安がないわけではなかった。東京駅と上野駅とではいろいろな面で条件が異なることは否定できない。東京駅の場合、あの赤レンガの建物には、強烈な個性があるし、文化的資産価値もはっきりいってかなりの差のあることは、繭美も認めていた。

しかし、上野駅はやはりここに住む者たちにとっては、故郷の山のような原風景なのである。平たく、どっしりとした建物は、デザイン的には何の変哲もないかもしれないけれど、そこはかとない哀愁を帯びた風情があって、住民たちに安心感を与えてくれる。それが、地上三百メートルの超高層ビルに変わったときのことを想像すると、その威圧感には恐怖をすら覚える。

それは、駅前の風景を一変させるだけではない。駅裏にあたる上野公園も、そそり立つビルに見下ろされることになるのだ。博物館も美術館もロダンの彫刻も、超高層ビルの下では色褪《いろあ》せて見えることだろう。

「やりますよ、私は」

繭美は自分に言い聞かせるように、気負った声で言った。

「ああ、頼むよ。おれたちはどうも、表立って出てゆくのが苦手だけどさ、バックアップはちゃんとするし、なんたって、根っからの土地っ子なんだからさ、昨日や今日、流れてきた連中たァ、わけが違う」

マスターは威勢のいいことを言う。実際、震災でも戦災でも焼けなかった土地の、古くからの人間たちが、この反対運動の柱になっているのだ。

ドアが開いて、若い男が入ってきた。若いといっても、三十は越えていそうだ。そういう歳恰好《としかっこう》の男が「若く」見えてしまうほど、繭美は歳を取ったということか。

繭美の見知らぬ男であった。テーブルはいくらでも空いているのに、カウンターに坐《すわ》って「コーヒーください」と言った。マスターの様子から察すると、どうやらイチゲンの客らしい。

やや長身といったところだろうか。面長で鼻筋の通った、なかなかのハンサムで、チラッとこっちに視線を向けたのと目が合った瞬間、繭美はわれになくドキッとした。

鳶色《とびいろ》の優しい目であった。着ているものはラフなブルゾンだが、どことなく品のようなものを感じさせる。

「このあいだ、谷中の墓地で自殺者が出たそうですね」

男はコーヒーをひと口すると、マスターに言った。

「ああ、そんなことがありました」

マスターは気のない返事をした。そういう話題はなるべくなら願い下げにしてもらいたい——という姿勢である。

「あそこでは、ときどきそういうことがあるのですか?」

「えっ? 自殺ですか? まさか、そんなにちょくちょくあってはたまりませんよ」

「じゃあ、けっこう、話題にはなったのでしょうね」

「ああ、まあねえ、そうですなあ」

マスターはどっちつかずの答え方をしている。

「何でも、警察に殺人容疑をかけられたのを苦にして、自殺したのだとか、新聞に書いてありましたが」

「そうみたいですね」

「ところが、自殺した人の周辺の人たちによく聞いてみると、自殺する直前の二、三日、その人は、真犯人を探すと言って、刑事みたいに、あっちこっちと歩き回っていたというのです」

「はあ、そうなのですか？」

マスターは驚いたように、あらためて男の顔を見た。繭美も男の横顔に見入った。

「それで、どうやら、この界隈も相当、歩き回ったらしいというところまでは分かったのですが、こちらのお店にも顔を出しませんでしたか？」

「は？……」

いきなり質問されて、マスターは身を反らせた。

「この人なんですがねえ」

男はポケットから写真を取り出して、マスターに突きつけた。

「あ、あの、おたく、刑事さんですか？」

マスターは恐る恐る、訊いた。

「ははは、違いますよ、僕はただのフリーのルポライターです」

「ああ、そうですか……それじゃ、繭美ちゃんと同業の人だ」

マスターは繭美のほうに掌《て》を向けた。

「ほう、ではあなたもルポライターをなさっているのですか？」

「ええ、まあ似たようなものですけど、タウン誌を出しているんです」

マスターが気を利かせて、カウンターの端に置いてある『谷根千界談』の新しい号を取って、「これですよ」と男に渡した。男はペラペラとページを繰って、すぐに「いいですねえ、いい仕事してますねえ」と言った。

「タウン誌というと、やたらに提灯《ちょうちん》持ちの記事や広告の写真ばかり目につきますが、これは違う。ちゃんと取材して、街のにおいを感じさせる記事であふれています。『谷根千界談』という、何となく江戸前の感じがする誌名もいいなあ。これ、大林さんのアイデアなんですか？」

男はいつのまにか奥付の「編集人」の名前を見て、言った。

「ええ、そうですけど」

繭美は褒《ほ》められたせいばかりでなく、久し振りに気持ちが浮き浮きするのを覚えた。

「失礼ですが、お名前は？」

「あ、こういう者です」

男は写真が入っていたのとはべつのポケットから、無造作に名刺を出した。角が少し傷んだ名刺には、肩書が無く「浅見光彦」とだけあった。住所は北区西ヶ原《にしがはら》——ここからそう遠くない場所である。

「浅見さんは、事件物のルポがご専門なんですか?」

「いえ、僕の専門は主として旅と歴史です。ほら『旅と歴史』という雑誌があるでしょう。あれに記事を書いています」

「ああ、『旅と歴史』なら、私もときどき読んでいます。逆に、上野の彰義隊や寛永寺のことなんかで、取材を受けたこともあったと思いますよ」

「そうだったのですか。それは僕じゃなかったですね。残念だなあ」

浅見は心底、残念そうに嘆いてみせた。飾りけのない性格らしくて、繭美は好感が持てた。

「それはそうと、さっきの続きですが、どうですかマスター、その人、お店に来ませんでしたか?」

「ああ……」

マスターは首を振って答えた。

「じつはですね、墓地での自殺事件がある前に、刑事が来て、二枚の写真を見せて、その写真に写っている人物が、この店に来たかどうか、訊いて行ったことがあるのですよ。その片方の人が、たしかその写真の人でした。しかし、私には見憶えがないので、そう言いました。

一度でも見えたお客さんの顔は、割と憶えているほうでしてね。それも、ひと月やそこいらなら、忘れっこないです」

「それで、刑事は何て言ってました？」

「いや、べつに、ただ、そうですか、ありがとうとか言ってただけで、じきに引き揚げて行きましたよ」

「ふーん、そうですか……」

浅見は頷いたが、何となく物足りない様子だ。

「だけど、その写真の人、浅見さんとどういう関係なんですか？」

繭美がマスターに代わって、訊いた。

「べつに関係はありません。ただ、変わった事件なもので、ちょっと興味を惹《ひ》かれたのです」

「そうなんですか。私にはただの自殺にしか見えなかったけど、あれが変わった事件なんですか。それで、わざわざ調べているんですか？」

「ええ、真相はどうなのかなと思いましてね」

「真相って……じゃあ、自殺じゃなかったのですか？」

「さあ、どう言ったらいいのかな……」

浅見は首をかしげた。

「警察は自殺だと言っているのですが、さっきも言ったように、寺山さん――その自殺した人ですが――彼はある殺人事件の容疑を晴らすために、真犯人を探して歩いていたというのですから、そこがおかしいのです」

「でも、結局、自殺してしまったのでしょう。ということは、やっぱりその人が犯人だったのじゃないのかしら？」

「ほう……」

浅見はまじまじと繭美を見て、「ほんとうにそう思いますか？」と言った。

繭美は鳶色の目に見つめられて、思わず視線を逸《そ》らしたが、反動的に口を尖《とが》らせて言った。

「そんなこと、分かりませんよ、私は警察じゃないんですから」

「いや、警察だって、ほんとうのところは分かっていないのですよ。だって、真犯人を探すと張り切っていた人が、その次の日にいきなり自殺しちゃうなんて、どう考えたっておかしいでしょう。そのおかしいのに目をつぶって、自殺で片付けちゃうなんて、それこそおかしな話です」

「じゃあ、その人、自殺じゃないっていうと、殺されたっていうことですか？」

「そうです。殺されたのです、そうに決まっているのです」

「ずいぶん確信があるみたいな言い方をするんですね」

藺美は皮肉を込めて言った。

「確信は大いにあります。自殺したのではないと信じればいいのだから、簡単に確信できるのです」

ガキ大将のように気張った言い方だったから、藺美は吹き出したいのを堪《こら》えるのに、苦労した。

「そんなの、論理にも何にもならないじゃないですか？」

「そんなことはない。きわめて論理的ですよ。ああいう死に方をしていて、しかも自殺でないとすれば、これはもう事故死ということはありえないのだから、他殺に決まっているでしょう？」

「それは他殺だって仮定すればの話じゃないですか」

「いや、とにかく他殺と決めてしまえばいいのです。そうすればいろんなことが見えてくるのですよ。警察みたいに、どっちだか分からない……いや、たぶん自殺だろう——などと予見しながら見ていては、何も見えてこないはずなのです」

「いろんなことって、何が見えてくるのですか？」

藺美は訊いてみたが、真剣に興味を惹かれたわけではなく、ただ面白半分——の気分であった。

「まず、犯人が地元の人間だということは、言えるでしょうね」

「えっ……」

浅見があまりにもあっさりした言い方をしたので、繭美は一呼吸遅れて、驚いた。

「それから、車を持っていない人間です。おそらく運転もできないのでしょう」

浅見は構わずに、つづけた。

「年齢はそう若くないでしょう。一見、好人物で、たぶん客商売をしていますね。しかし、腕力はなかなかのものがあって、本来の性格はかなり粗暴で陰険かもしれない……」

「そんなこと……」

繭美は浅見の饒舌《じょうぜつ》を遮るように言った。

「そんなこと、どうして分かるんですか？」

「粗暴で陰険なのは、犯行の内容を見れば納得できるでしょう。腕力があるのは、寺山さんをロープで引っ張り上げていることで分かります。それから、寺山さんだって、充分、警戒していたはずなのに、あえなく殺されたというのは、外見的にはきわめて好人物そうに見えるばかりでなく、言葉遣いもソツがなかった——つまり、商売人のように人当たりが柔らかだったと考えられます。そういう演技ができるようになるには、ある程度の年輪も経験も必要でしょうね。それと車のことですが、もし車の運転ができる人間なら、いくらなんでもこんな場所に死体を遺棄するはずがありませんよ。そうは思いませんか？」

繭美はあっけに取られて、浅見のよく動く唇を眺めたきり、返事をするのも忘れてしまった。

2

「はははは、すごいもんですねえ、お客さん」

蘭歩亭のマスターは笑い声と驚きとを、一緒くたにして吐き出した。

「聞いてみると、ほんとにそうだなあって思えてきちゃいますよ」

「ほんと、すごいわあ……」

繭美も感心したが、マスターは当惑げに首をかしげて言った。

「だけどなんですなあ。そうだと、その犯人像だったら、さしずめこの私なんかも該当するんじゃないかって、あまりいい気分はしませんけどね」

「あら、そういえばそうね。マスターは車の運転はできないし、人当たりは柔らかいし、腕力もありそうだわ」

「やめてくれよ繭美ちゃん、気味が悪い。そんなこと言い出したら、ミネさん——おたくのおやじさんだってピッタリ該当するんじゃないの?」

「えっ? やだ、うちの父なんか、文字どおり虫も殺せないひとよ」

「だからさ、そういう外見の男が怖いっていうんじゃないの。いや、谷中の店のおやじどもは、みんな人当たりもいいし、ほとんど全員が該当者ってことになるよ。それに、この辺りは駐車場を持つのにひと苦労だから、車のないうちは多いし、おじん連中は大抵、運転もできないもんな」

「そうよねえ、ほんとよねえ……」

半分はジョークのつもりではしゃいでいたのが、何となく深刻なムードになってきた。浅見も口元に微笑を漂わせているものの、二人の反応をじっと窺《うかが》っているような気配もあって、繭美は少し不気味に思えた。

「どうでしょうか、この写真の人、やっぱり見憶えありませんか?」

浅見はその曖昧《あいまい》な微笑を変えずに、あらためて、マスターに訊いた。

「えっ、これですか? いや、やっぱり知らない顔ですねえ」

マスターは写真をカウンターの上に置いたまま、もういちど覗いてから、言った。

「さっきも言ったとおり、この商売を長くやっていると、一度でもうちに見えたお客さんなら、大抵は憶えちゃうものなんですよ」

「そうですか」

浅見は写真を取って、無造作にポケットにしまった。

「じつは、寺山さん——この人が住んでいたアパートの部屋に、こちらのお店のマッチがあったのです」

「えっ、ほんとですか？」

「ええ、本当です」

「じゃあ見えているのかなあ……」

マスターは店のマッチを手に取って、不安そうに浅見の顔とマッチを見比べた。

「お店はマスターのほかに従業員の方はいないのですか？」

「ああ、私一人ですよ。大して儲かる店でもないし、人を使ってまでやるつもりはないもんでしてね。たまに出かけるときは店を閉めます。食事やなんかのときは、顔見知りのお客に留守番を頼んでおいて、ちょっと出たりもしますけどね」

「じゃあ、寺山さんは、マスターが留守のときに来たことも考えられますね」

「ああ、それはあるかもしれないけど、しかし、せいぜい三十分ばかり消えてるだけですからねえ、もしそうだとすると、まったくの偶然というやつですな」

「それにしても、誰か、つまり留守番の人が見ているわけです。警察はそのことは確かめなかったのですか？」

「ああ、何も言いませんでしたよ」

「しようがないなあ……」

浅見は苦い顔をした。

「それで、そのときは誰が留守番だったか、分かりませんか？」

「そのときっていうと？」

「つまり、寺山氏が蘭歩亭に行ったと主張していた、十一月二十二日です」

「えーっ……そんな昔のことは、分かりませんよ」

マスターは「昔」と言ったが、べつに古い映画を真似たシャレではなく、本当に分からないらしい。

「それじゃ、十二月に入って、十日あたりから二十六、七日ごろまでのあいだはどうでしょう……つまり、彼が死ぬ直前ですね。そのころのことも分かりませんか」

繭美は「死」という言葉を聞いた瞬間、身震いが出た。

「いや、だめですなあ、分かりませんなあ。そんな長い期間ではねえ」

マスターはうんざりしたような声を出して、手を横に振った。

「とても憶えていっこありませんよ。だいたい、留守番なんてものは、適当に、そのときそのとき、たまたま店に来てた人に頼みますからね。それも一人のこともあれば、何人かに声をかけておいて、出かけることもあるし。繭美ちゃんに頼んだこともあったよね」

「ええ」

繭美は頷いた。たしかにマスターの言うとおり、留守番なんていいかげんなもので、留守のあいだにお客が来ることも、ほとんどないようなものだ。

「それにしても、留守番を頼むのは、お馴染みさんだけなのでしょう？　でしたら、そう多くはないと思いますが」

「いや、そうはいっても、結構、大勢いますからねえ」

「何人ぐらいですか？　十人、二十人ぐらいでしょうか？　もっとですか？」

「ははは、いや、参ったなあ。それ、まさか全員に当たってみるつもりじゃないのでしょうなあ」

「いえ、そうするつもりですが」

「ええっ？　本気なの、お客さん……どうする、繭美ちゃんさあ……」

マスターは両手を広げて、お手上げのポーズをしてみせた。そんな、馴染みのお客に迷惑がかかるようなことはできない——と言いたげだった。

「浅見さんは、それ調べて、どうするつもりなんですか？」

繭美は少しトーンを落として、訊いた。マスターの当惑に同情する気持ちもあった。

「もちろん、真犯人を捕まえたいと思っているのですよ」

浅見は相変わらず強気のことを言う。

「真犯人って……警察は自殺だって断定したのでしょう？　じゃあ、その寺山とかいう人の遺族に頼まれたのですか？」

「いや、誰にも頼まれませんよ。強いていえば、寺山さん本人の希望かな」

「本人って、自殺した人のこと？」

「そうですよ」

浅見はケロッとした顔をしている。繭美がマスターを見ると、マスターは細かく首を横に振って、目くばせをした「アブナイたぐいの人間らしいから、適当にあしらったほうがいい」という合図だ。

「寺山さんからの依頼って……それじゃ、その人、殺されることを予想していたっていうことですか？」

「いや、そういうわけではないのですが」

浅見は何となく話しにくそうに、顔をしかめた。

「でも、浅見さんはその人から探偵料っていうのかしら、とにかく、おカネ、貰《もら》ったのでしょう？」

「そんなもの、貰いませんよ」

「じゃあ、タダ働きっていうことですか」

「ええ、まあそうですが、べつに働いているわけじゃありません」

「というと、ボランティア？」

「ボランティアねえ……そういうのとも違うと思いますが」

浅見は照れたように頭を掻《か》いた。

「べつに、世のため人のためになると思ってやっているわけじゃありませんよ。ひょっとするとこんなふうに、人に迷惑をかけているのかもしれないなあ。警察だって喜びはしないし、少なくとも、犯人にとっては大迷惑でしょう」

「そんなの、一文にもならない上に迷惑がられるなんて、ばかばかしいじゃないですか」

「そういえばそうですねえ。しかし、あなただって、不忍池の駐車場問題に反対したり、あまり得にならないようなことをやっているみたいですが」

浅見は『谷根千界談』を指差して、ニヤリと笑った。『谷根千界談』のその号には、たしかに不忍池の駐車場問題が特集されていた。ほんの一瞥《いちべつ》しただけのようでいて、浅見は素早く、そういった内容を把握してしまったらしい。

「だけど、それとこれとは違いますよ。私たちのやっていることは、大多数の住民の利益を守るためですもの」

「僕の場合だって、基本となる精神は同じですよ。ただ違うのは、そちらが何千人だか何万人だかを対象にしているのに対して、こっちは一人であるということと、その肝心の人物が死んでしまったことだけです。しかし、それだけに——つまり、孤立無援のたった一人だった寺山さんのほうが、大勢の集団より、何千倍も切実な想いで応援を待ち望んでいたわけでしょう。その望みも虚《むな》しく、孤立のたたかいの中で殺されてしまった……その彼の無念を思うと、何もしないではいられないのですよ」

浅見が「無念を思うと」と言ったとき、藺美は心臓にチクリと痛みを感じて、チラッとマスターに視線を走らせた。マスターは下を向いて、カップを洗いはじめた。さっき「アブナイ」と目配せしたことを恥じているようにも見えた。

「分かりました」

藺美は言った。

「浅見さんの気持ち、納得できます。でも、なんだか谷中界隈の住人の中に犯人がいるような話に、その住人の一人としては協力するわけにいきませんよ。それに、本当に殺人事件かどうかもあやふやだし、もともと、私たちには何の関係もない事件ですものね」

「いや、必ずしも、まったく関係がないとは言い切れないかもしれないのですよ」

「え？　どうしてですか？」

「その寺山さんもそうですが、寺山さんの自殺の原因となったと警察が見ている殺人事件の被害者——和田という人なのですが——その人も、共に新幹線東京駅乗り入れ工事の関係者なのです」

「へえー、ほんとですか？」

「ええ、事実です。和田氏はプランニング関係の仕事、寺山氏はトンネル工事の現場で働いていると聞きました。たしか、上野駅周辺の人たちは、東京駅乗り入れに反対しているのでしたね。そうなると、被害者との利害は相反するわけで、殺害の動機は立派に存在することになるかもしれませんよ」

「まさかァ！　そんなの、こじつけだわ」

繭美は少しきつい声で言った。反対運動を貶《おとし》めるような言いがかりは断固、シャットアウトしなければならない。

「第一、東京駅乗り入れ問題なんて、もはや過去の話ですもの。いまさら利害も何もないし、まして、そのことが原因で殺したりするような状況になりっこありませんよ」

「ほうっ、そうなのですか、過ぎてしまったことなのですか……」

驚いたことに、浅見はそういう事情にあまり通じていないらしい。ひどく意外そうな様子を見せた。

「とっくに終わった話ですよ。いまはもう、『谷根千界談』にも特集したみたいに、不忍池の駐車場問題と、それに上野駅の改築問題でテンヤワンヤっていうところだわ」

「ほう、上野駅を改築するのですか？」

浅見は目を見開いて言った。まるで、新しい玩具《おもちゃ》を見つけたときの幼児のような表情であった。

「そうですよ、知らないんですか？」

繭美は呆れて、そういう浅見の顔をまじまじと見つめてしまった。

「ええ、知りませんでした」

「ほんとに？　こんなに大騒ぎしているのにですか？……いやんなっちゃうわねえマスター、旅と歴史専門のルポライターさんが知らないなんて、私たちのしていることって、そんな程度なのかしら？」

「そうかもね。所詮はこの界隈だけで騒いでいることなのかもしれないいな」

「いや、そんなふうに言わないでください」

浅見は肩をすくめて、恐縮した。

「僕はまったく一般常識に欠ける、ダメなルポライターですから」

「ほんとに、そうみたいですよねえ」

藺美は露骨に軽蔑《けいべつ》の目で見てやった。

「そういうわけだから、もうトンネル工事なんて関係ないんです。その寺山とかいう人だって、ここの住人たちとは、何の関わりもないはずでしょう」

「なるほど、たしかに……」

浅見は焦点の定まらない目で、カウンターの端にある『谷根千界談』のほうを、ぼんやりと眺めている。これまで、さんざん苦労して尋ね当てたことが、すべて虚しかったように、途方にくれた顔だったので、藺美は少し気の毒な気もしないではなかった。

「上野駅の改築問題のこと、この前の号で特集してますから、差し上げましょうか?」

藺美は言った。

「えっ、それはありがたいなあ、ぜひお願いします」

浅見は手を差し延べた。

「いまは持ってませんよ。家に置いてありますから、一緒に来てくれますか?」

「もちろん行きます。それじゃマスター、お勘定を……大林さんの分も一緒にお願いします」

浅見は立ち上がって、ブルゾンのポケットから、皺《しわ》くちゃの千円札を出した。マスターは（いいの？――）という目を繭美に向けた。コーヒー代を払わせて――という意味と、余計なことに関わって――という意味を込めている。

繭美はその両方に対して、コックリと頷いてみせた。

3

蘭歩亭のある三崎坂を少し下って、最初の信号を右へ曲がると「よみせ通り」と呼ばれる商店街である。この道は、かつて藍染川《あいぞめがわ》というどぶ川のような川が流れていた。

「大昔には、不忍通りのところまでが東京湾の入江になっていて、それに注ぐ小川だったのだそうです」

繭美は浅見に説明した。「藍染」という名の由来には、上流に紺屋が多かったというのや、水源が染井という地名のところだからであるとか、二つの川が合流するため、あるいは、根津の遊郭の女が客と逢引《あいび》きしたから――等々、各説がある。繭美自身、その由来はごく最近、『谷根千界談』に特集記事を書くので勉強したばかりだ。

自然に曲がっている川を暗渠《あんきょ》にしたのがはじまりだけに、妙な具合に屈曲した道だ。それにきわめて細い。車は一方通行だが、それでも、駐車場がないために、路上駐車する車でいつも混雑している。

もっとも、日が暮れると、夏の賑《にぎ》わいほどのことはない。早め早めに店を閉めてしまうところも多く、よみせ通りの名にそぐわない、暗い場所もある。

よみせ通りの店や住人たちは、ほとんどが繭美とは幼いころからの顔馴染みで、蘭歩亭の常連も多い。

「蘭歩亭の留守番をしそうな人、紹介して上げますね」

繭美はいたずらっぽく言った。

「えっ、いいんですか？」

浅見は驚いた。

「よくはないですけど、それとなくね」

言うと、いきなり角の眼鏡店に入った。ここの旦那は小沢正一という愉快な男で、『谷根千界談』に広告を出してくれる。

「先月の月なかばすぎごろ、蘭歩亭さんの留守番やらなかった？」

繭美が訊くと、小沢は何の話か？——という顔をしたが、すぐに首を横に振った。

「いいや、ここしばらくはやってないよ。何なのさ、それは?」

「ううん、いいんです、また来ます」

浅見は写真を手に持って待機していたが、まだ店の外にいる段階で、話はすんでしまった。

それから「スマートクリーニング店」に入り、「山忠呉服店」に立ち寄り「金田印章店」「島木商店」「蜂谷時計店」に顔を出した。

蜂谷は「ああ、留守番したよ」と言った。「二回ぐらいやったんじゃないかな。こっちがひまなときだけど……どうしてさ?」

繭美は外にいる浅見を呼んで、写真を出させた。

「そのとき、こういうお客さん来ませんでした?」

写真を見せると、蜂谷は「あははは」と笑った。

「お客なんか来るもんか。お客はこのおれだけで、勝手にコーヒーをいれて飲んでやったけどさ」

「そう、どうもありがとう」

蜂谷が「何なのさ、いったい?」と呼んでいるのを振り切って、そのあと「高梨スポーツ店」と「深沢電機商会」を訊いたが、いずれも空振りに終わった。

そこから先は思いつく相手がいなかった。「あと、いるとすれば大林文具店のおやじぐらいですね」

藺美はいささか疲れた——というように、肩を落としてみせた。

「いやあ、大感謝ですねえ」

浅見は藺美と肩を並べて歩きながら、頭を下げた。

「あなたにこんなに親切にしていただけるとは、まったく思ってもいませんでした」

「あら、そんなに冷たい女にみえますか？」

「あはは、そういうわけじゃないですが、正直言って、地元のことを調べられるのは、あまりいい気分ではないでしょうから」

「それはまあ、犯人扱いするのはいやですけど、でも、単に写真の男の人を見たことがあるのかないのか、それを訊くだけだと思えば、そんなに抵抗はありませんよ」

「そう言ってもらうと、ますます恐縮しちゃいますねえ」

「だけど、いったい誰なのかしらねえ、その人が来たときに留守番してたのは？……」

藺美は首をひねった。

「マスターも言ってたみたいに、留守番をしそうな人は十人ぐらいはいるけれど、でも、いままで声をかけたうちにいないとなると、あとは画家の先生と小説家……でもあの先生たちはいいかげんんだから、お客の顔なんか見てやしないわね、きっと」

「さっき言ってた、なんとかいう文具店のおやじさんはどうなんですか？」

「ああ、それはここですよ」

繭美は目の前の店を指差して、大股《おおまた》に歩いて行って、ガラスの引き戸を開けた。

父親の峰雄が一人で店番をしていた。

「ねえ、去年の暮れごろ、蘭歩亭の留守番しなかった？」

ズカズカ店に入って、乱暴な口のきき方をするので、浅見は店に入ったところで、びっくりして立ち止まった。

「なんだ藪《やぶ》から棒に？」

峰雄はぶっきらぼうに言った。第三者が見ると、まるで喧嘩でもしているように思うにちがいない。

「いいからいいから、どうなのよ、留守番しなかった？」

「そりゃまあ、したかもしれないが……しかし、いったい、何の話だい？」

「そのときに変なお客さん来なかった？」

「変な客？　どう変なのさ？」

「こういう人……」

写真を見せたが、峰雄は首を振った。

「いいや、知らないな。何だい、この人」

「ほら、このあいだ墓地で首を吊った人いたじゃない。その人よ」

「えっ?……」

峰雄はギョッとして、写真から手を遠ざけた。

「よせよ、気味の悪い冗談は」

「冗談なんかじゃないのよ、ほんとにその人なんだから。ちょっと……」

藺美は振り返って浅見を呼んだ。

「こちら浅見さんておっしゃるルポライターの方、こちらうちの父です」

「ああ……」

浅見はあやうく笑い出しそうな顔をした。どうやら父娘であることに気づかなかったらしい。もっとも、父親の顔に似ているなどと言われたら、藺美は卒倒するだろう。

「父に事件のこと、説明してやってくれませんか」

「ええ、もちろん聞いていただきます」

「もうお店閉めていいんでしょう?」

藺美は峰雄に訊いて、返事も待たずにシャッターを下ろした。父親は不満そうに仏頂面をしたが、文句は言わなかった。

それから三人は店の奥のドアを開けて住居部分に入った。入ったすぐのところは、狭いながらも一応、オフィスらしくなっていて、四人分応接セットもある。

浅見が父親に話をしているあいだ、繭美はインスタントコーヒーをいれた。いれながら、蘭歩亭でコーヒーを飲んできたばかりなのに気づいたが、そのまま出した。男どもは味音痴なのか、父親はもちろん、浅見もけっこう、美味《うま》そうに飲んでいる。

峰雄は娘が連れてきた客の素性がよく分からず、歳恰好からいって、結婚相手に相応《ふさわ》しいこともあり、どう対応すればいいのか戸惑っている様子だった。

浅見はひととおりの説明をして、写真の顔に見憶えがないか、あらためて訊いた。父親は、蘭歩亭の留守番を頼まれたことはあるけれど、写真の男のことは知らないと言った。自殺した男など見たくもないらしく、二度と写真を手に取ろうとしない。

「ね、虫も殺せないって言ったとおりでしょう。ほんとに臆病《おくびよう》なんだから」

繭美は顔をしかめて笑った。

「その、墓地で死んだ人が蘭歩亭に来たのは間違いないのですか?」

峰雄は訊いた。

「間違いないわ。だって、その人の家に蘭歩亭のマッチがあったのですもの」

繭美が言うと、浅見は困ったように手を振って言った。

「あれは嘘なんです」

「え？　嘘？……」

繭美は驚いて一瞬、ポカーンと口を開けてから、言った。

「嘘って……だって浅見さん、あなた蘭歩亭でそう言ったじゃないですか」

「ええ、そう言わないと、蘭歩亭のマスターも、それにあなたも、僕の話を信じてくれませんでしたからね」

「そんな……じゃあ、その人が蘭歩亭に来たとか、谷中を歩き回ったって言ったのも出鱈目《でたらめ》なんですか？　呆れた、ひどいことするわねえ」

「いや、それは事実ですよ。蘭歩亭に行ったことも事実です。寺山氏がそう主張しているのですから。ただし、マッチがあったとか、そういった、彼の話を裏付けるものがなかったのです。だから、警察も簡単に、蘭歩亭にとおりいっぺんの聞き込みらしきことをしただけで、すぐ、信憑性《しんぴようせい》がないと決めつけてしまったのでしょう。もし僕も同じようにお話ししていたら、あなただってたぶん、こうして大勢の人に訊いてくれるなんてことは、してくれなかったにちがいありませんよ。いかがですか？」

「えっ？　ええ、それはまあ、そうかもしれないけど……でも、警察が信憑性がないと判断したのは、正しかったのじゃありませんか？　だって、こんなに訊いて回っても、誰も見たことがないって言っているのですから。そうですよ、その寺山っていう人が嘘をついていたんですよ」

「そう、たしかに誰かが嘘をついているのかもしれませんね。寺山氏か、あるいは蘭歩亭の人々かが」

「えっ？　蘭歩亭の人々って、マスターだとか、あの、留守番のお客たちのこと？」

繭美は思わず、チラッと父親の顔を見てしまった。

「おいおい、冗談じゃないな」

峰雄は繭美の視線を感じたとたん、迷惑そうに、急いで手を振った。

「私だって留守番をした一人だからね、嘘つきよばわりされたんじゃ、たまったものじゃないよ」

「あ、失礼、僕が言ったのは、つまりその、単なる一般論でありますから、気になさらないでください」

浅見は狼狽《ろうばい》して、何度も頭を下げた。

「でも、一般論ということは、そういう可能性があるっていう意味でしょう？」

繭美は意地悪く追及した。

「はあ、まあそれはそうですが……」

「でも、かりに、かりにですよ、もし蘭歩亭の関係者の誰かが嘘をついているのだとしたら、どうして嘘なんかつく必要があるんですか?」

「なるほど……」

浅見は、まるで思いもかけなかったことを訊かれたように、藺美の顔を見つめた。

「どうしてでしょうねえ?……」

「あ・き・れ・た……」

藺美は心底呆れて、この見掛けだけはハンサムな青年に、憐《あわ》れみに近い軽蔑を感じてしまった。

「そんなこと……浅見さん、何も考えていなかったんですか?」

「ええ、考えていませんよ。とりあえず、誰が嘘をついているのかな——と、そのことだけを考えていました。しかし、確かにそうですねえ、もし嘘をついているのだとすると、いったい、なぜ嘘をつかなければならないのか、これは興味深い問題ですねえ」

浅見はこっちの気持ちも知らぬげに、ニコニコ笑いながら、言った。

「大林さんは、なぜだと思います? なぜ嘘をつく必要があったか……」

茫洋とした笑顔の中で、鳶色の眸《ひとみ》がキラリと光った。その瞬間、藺美の背筋を、冷たい戦《せん》慄《りつ》のようなものが襲った。

（違うんだわ――）

そう思った。たったいま、自分がこの男に感じた軽侮の念は錯覚にすぎない――と思った。浅見は明らかに、自らは言わず、繭美の側に問題意識を抱かせるように仕向けている。寺山か、そうでなければ蘭歩亭の関係者の誰かが嘘をついていることを承知の上で、気づかなかった――などと、とぼけたことを言っているのだ。

いや、本心は、寺山よりもむしろ蘭歩亭の関係者を疑っているにちがいない。ただし、地元の人間を前にして、そのことをあからさまに言うわけにいかない。だから、繭美に指摘されて、はじめて思いついたようなふりを装って、疑問を投げ返して寄越したのだ。

（タヌキねえ――）

繭美はひそかに舌を巻いた。

「さて」と、浅見は立ち上がった。

「どうも、長居をしました。僕はこれで失礼します。ほんとにいろいろありがとうございました」

「ちょ、ちょっと待ってくださいよ、あんた……えーと、浅見さんでしたか」

峰雄が言った。浅見は「はあ」と、いったん浮かせた腰を椅子《いす》に戻した。

「その寺山という人が蘭歩亭に来たとき……いや、かりに来ていたとしてですよ、あなたの話だと、そのとき、留守番をしていた人間が、寺山を殺したっていうことになるわけですか？」

「いえ、そうは言ってません。いまの段階では、ただ、なぜ嘘をついたのかな——と、不思議に思うだけです」

「だけどあなた、寺山が来たのを知っていて、知らないと嘘をつくのは、つまりは寺山を殺した犯人だからじゃないですか」

「はあ、そういうことになりますかねえ」

「なりますかねえって……ほかに考えられないでしょうが」

「さあ、そうとはかぎりませんよ。たとえば誰かを庇《かば》っているケースもあるでしょう。かりに蘭歩亭のマスターが嘘をついているのを知っていたら、マスターが犯人であると思って、永年の付き合いからいって、庇いたくもなるでしょうからね。いかがですか？　あなたがそういう立場に立ったとしたら、マスターを告発するようなことをしますか？」

「ん？　いや、そんなことはしないが……第一、マスターが殺人犯だなんてこと、あるわけがないでしょう」

「はあ、そうなのですか」

「決まってますよ、そんなこと。彼のことはよく知っているが、そんなばかなことをする男ではないです」

峰雄が険しい顔をして、憤懣《ふんまん》をぶつけるような言い方をした。繭美は脇から父親の顔を見て、どこにこんな強さが潜んでいるのだろう?——と、信じられない想いがした。

「そうですか、それを聞いて安心しました」

浅見は嬉《うれ》しそうな笑顔になった。

「僕もあのマスターは好きですから、もし犯人だったらどうしようかと思っていたのですよ」

そして立ち上がり、もういちど大林親子に頭を下げ、礼を述べると、ドアへ向かった。

「待って、私も行きます」

繭美は浅見のあとを追った。父親が何か言いかけたのには、「ゲラが出てるから、急いで校正しなきゃいけないの」と、言い捨てて、外に出た。

「浅見さん、ほんとのところはどう思っているんですか?」

繭美は浅見に並びかけて、訊いた。少しきつい口調になっていた。

「どうって?」

「だから、蘭歩亭のマスターが犯人なのかどうかってこと」

「分かりませんよそんなこと。ただ、僕としては、さっき言ったとおり、そうじゃないことを願うのみです」

「そういう言い方だと、なんだか犯人であることを疑っているように受け取れるわ」

「ははは、あなたも素直じゃないひとだなあ。しかし、そういう物の見方をできることが、名探偵の一つの条件だそうですよ」

「そんな、冗談を言わないでくれませんか。私は真面目《まじめ》に心配しているんですから」

「困ったなあ……それじゃ、少し独断と偏見のおそれなしとはしませんが、マスターは犯人の可能性は少ないと断定することにしましょうかね」

「それじゃ、犯人の可能性があるのは誰っていうことですか？」

「そんな、無理ですよ、僕はシャーロック・ホームズじゃないのだから」

浅見は暗い空に向かって、大きく口を開けて笑った。その笑いをふいに収めて、繭美を振り向くと、「ところで」と言った。

「あなたのお父さんは、まだ老眼ではないのですか？」

「え？……」

不意を衝《つ》かれて、繭美はキョトンとした。

「いいえ、もう十年も前から、立派な老眼ですけど……それが何か？」

「さっき、写真を見たとき、眼鏡をかけずに、見知らぬ人だっておっしゃったでしょう。あの小さな写真で、よく顔の識別ができたものだなって、ちょっと不思議に思ったものですからね」

浅見は笑顔で言うと、真っ直ぐ前を向いて歩いた。繭美は知らず知らずのうちに歩みが鈍り、たちまち浅見から遠ざかった。

第四章　谷根千《やねせん》マガジン

1

下谷署の山田部長刑事とは蘭歩亭で落ち合った。待ち合わせ場所を決めるのに、蘭歩亭以外に思いつくところがなかったためだが、あとで、まずかったかな——と、少し気になった。

蘭歩亭のマスターは浅見を見て、無表情とも取れる笑顔で「いらっしゃい」と言ったが、山田との待ち合わせと知ったとき、かすかに怪訝《けげん》そうに眉をひそめるのが見えた。

山田は店の端のテーブルに坐っていて、挨拶《あいさつ》がすむと、前屈《まえかが》みになったままの恰好《かっこう》で、声をひそめて言った。

「上野署にいる、昔の仲間に聞いたのですがね、例の、不忍池のところで殺された和田の奥さんが死んだそうですよ」

「え？……」

浅見は、一瞬、喉《のど》にピンポン玉でも詰まったように、呼吸が止まった。

「まさか殺され……」

「いや、ちがいますよ、病死です」

「病死……」

「癌《がん》だったそうです。和田が殺されたときには、すでに末期の状態だったそうだが、事件のあと、急速に弱って、死期が早まったのではないかという話でした」

「そうですか、気の毒に……」

浅見は暗澹《あんたん》とした気分であった。人間の不幸は果てしないものらしい。いったい、この世の中には神も仏もいないのだろうか。宗教家に言わせると、不運なのは「神が試練を与えたまう」のであるとか、事故で怪我をすると「信仰がたりない」「怪我《けが》ですんだのは信仰のおかげ」だとか、どん底にあえいでいると「貧しき者は幸いなり」だとかいうことらしいが、クソ食らえと言いたくなる。誠実につつましく暮らしている者が不幸に見舞われ、悪逆非道のやつがぬくぬくと安逸をむさぼっているのなど、神様の公平感覚はどうかしているとしか思えない。

「それでですね、じつは、和田は上野駅ビルの新築計画に関して、多額の工作資金を受け取っていたのですが、それをどうやら、奥さんの治療費に流用していたらしいのです」

「はあ……」

浅見の憂鬱《ゆううつ》はつのるばかりだ。

「それ、工作資金ていうのは、どのくらいの金額なのですか？」

「何ぶん、金を出した側がはっきりしたことを言わないもんで、正確なところは分からないそうですがね、おそらく何百万という単位ではないだろうという話です」

「というと、つまり何千万ですか？」

「よく分かりませんがね」

「それをすべて治療費に回したのですか？　そんなにかかるものですかねえ？」

「さあねえ、かなり一生懸命、奥さんの面倒を見ていて、いい病院に入れたり、いろいろ手を尽くしていたそうですが……しかし、全部をそっちに使ったわけではないと思いますけどねえ」

「だとすると、そのおこぼれにあずかった者もいるのですね？」

「そういうことになりますか……」

山田は明言を避けている。警察官としてはみだりなことは言えないのだろう。

そのとき、浅見はふっと思いついた。

「そういえば、千駄木には日本医大病院がありましたね」

「ああ、ありますが……」

「僕の知り合いに、癌に罹《かか》った人がいて、その奥さんがあそこに丸山ワクチンを取りに行ってました」

「丸山ワクチンというと、癌の特効薬だとかいう、あれですか」

「ええ、そうです。何でも、国の認可が遅れているために、日本医大病院でしか手に入れることができないのだそうです。和田さんはどうだったんですかね、いろいろ手を尽くした中には、丸山ワクチンは入っていなかったのでしょうか？」

「はあ……それが何か？」

「たとえば、もし丸山ワクチンを利用していたのだとすると、定期的に日本医大に行っていた可能性もあります」

「そう、でしょうか……」

「あそこは谷中からほんの目と鼻の先ですからね、谷中の住人と知り合う機会は、充分、あったはずです。もしかすると、この店にも立ち寄ったことがあるかもしれません」

「なるほど……分かりました、調べて、後ほどお宅のほうに電話します」

山田は立ち上がり、浅見と伝票を残して、走るような勢いで店を出て行った。勘定を払うとき、マスターが何か言うかと思ったが、商売用の笑顔で「ありがとうございます」と言ったきりだった。

浅見が帰宅するとまもなく電話があった。

「やはり浅見さんの言ったとおりでしたよ。一年ばかり前まで、和田は奥さんのために丸山ワクチンを買いに行っていました。ところが、病院を変わったとたん、医者の指示で、ワクチンの投与を止めることになったのだそうです」

「ほう、どうして止めたのですか？」

「医者によっては、丸山ワクチンを使わない主義の人がいるそうですな。つまり、効果がないと考えているようです」

「しかし、僕の知人は効果があったと言ってましたよ」

「いや、それはまだ学術的には定説になっていないのじゃないですかね。それに、お医者の世界にも縄張りみたいなものがあって、効くという説と、効かないという説と、二つに分かれているのだそうです。バックに製薬会社間の利害が絡んだりもして、なかなか難しい問題だそうですよ」

「ふーん、そうなのですか、医は仁術《じんじゅつ》というのに、患者の苦しみをそっちのけで、何だか妙な話ですねえ……しかしまあ、そのことはともかく、和田さんが千駄木に行っていたことは確かなんですね」

「そのとおりです、これで浅見さんの推理が一歩前進ですな」

山田は力強く言った。

「ははは、そんなにうまくいけばいいですけどね」

山田との電話を切ると、浅見はすぐに千駄木へ行ってみた。

和田が日本医大病院へ行っていたからといって、谷中の住人の誰かと会ったかどうかなど、仮説ともいえないような論理だ。しかし、ともかく現地へ行ってみれば、ことによると何かの手掛かりぐらいは摑《つか》めるものかもしれない。

日本医大病院は「根津うらもん坂」の途中に、根津神社という、かなり立派な神社と向かいあって建っている。坂を下りきったところが不忍通り。不忍通りを渡って二ブロックまでが文京区千駄木で、その先の藍染通りから向こうが台東区谷中になる。

浅見は日本医大病院の前の坂に立って、向こう側の谷中の家々を眺めた。

地図の上で見ると、すぐそばのようだが、実際には、よほどのんびりした状況でもないかぎり、ちょっと蘭歩亭に寄り道——という距離ではない。しかも、和田の場合、奥さんのための薬を取りにきているのだ。とてものこと、物見遊山《ものみゆさん》の気分にはならなかったにちがいない。

浅見は気負い込んできただけに、少し拍子抜けがした。

ぼんやり周囲の風景を眺めながら、ダラダラ坂を下って行くと、ふと、電柱の小さな看板が目に止まった。

〔谷根千マガジン〕

矢印が左の路地の奥を指している。

浅見は躊躇なく、路地を曲がった。

この辺りは昔ながらの静かな住宅街の面影が残る町並みである。谷根千マガジンはまるでしもたやふうの、古い二階家であった。

表札ほどのちっぽけな看板に「谷根千マガジン」と書いてあるのに、運よく気がつかなければ、素通りしそうだった。

呼鈴もインターフォンもないので、立て付けの悪いドアを開けて、「ごめんください」と声をかけた。

玄関からいきなり事務室のような物置のような部屋になっている。印刷物や何かの資料らしきものが、絨毯《じゅうたん》を敷いた床から天井まで、ところ狭しとばかりに積まれている。建物の奥からインクの臭《にお》いとカビの臭いが漂ってきた。

どこかで「はーい」と応じたと思ったら、部屋の右手の台所とおぼしきところから、大林繭美が顔を出した。

「あらっ……」

繭美は息を飲むような顔をして、一瞬、動きが止まった。

「このあいだはどうも、浅見です」

浅見はニッコリ笑って、ピョコンと頭を下げた。繭美の様子に、あまり歓迎されていないことを察知して、低姿勢で臨むことに決めた。

「お邪魔してもいいですか？」

「え？　ええ、どうぞ」

繭美はわれに返ったように台所から飛び出して、そこいら中に散らばったものを端に押しやり、とりあえず、部屋の中に客の存在できるスペースを作った。

狭い部屋だが、絨毯の上に座卓のようなテーブルを置き、ここが応接室兼仕事部屋になっているらしい。次の部屋とのあいだにはドアもなく、そっちのほうも乱雑をきわめたものだ。さらにその奥にも部屋はあるようだが、人のいる気配はなかった。

テーブルの上は原稿やら写真やらで埋まっている。そのテーブルを挟んで二人は向かいあった。座蒲団《ざぶとん》などというものはないらしく、毛のチビた絨毯の上にじかに坐った。

しばらく黙って向き合ってから、繭美はふと気がついて「あ、お茶、いれます」と立ち上がった。

「いや、お忙しいのだから、お構いなくしてください」

「いいんです、仕事は一段落ついたのです。さっき版下を下ろして、みんな映画を観に行ったところですから」

「しかし、構わないでください」

「いいんです、お茶、いれます」

繭美は怒ったような口調で、断固として宣言した。

夜店で十円で売っていそうな茶碗に、ブリキみたいな急須からジョボジョボと粉茶が注がれた。

「ああ美味《うま》い」

浅見は熱いのをひと口すすって、「蘭歩亭のコーヒーより美味い」と言った。

「そんなお世辞、言わないでください、安いお茶なのは分かっているんですから」

繭美はニコリともせずに言った。

「お疲れのようですね」

浅見はニヤニヤ笑った。やはり歓迎はされていないらしい。

「疲れてなんかいません。それより、アレはどうなったのですか？」

「は？」

「このあいだの例の件です。写真の人――寺山とかいう、あの人の事件はその後、どうなったんですか？」

「まだ解決していないようですね。というより、警察は、当初の方針どおり、自殺で片づけるつもりなのじゃないでしょうか」

「だったら、やっぱり自殺だったということですか？」

「それは分かりません。少なくとも、僕はそうは思いませんけどね」

「そんなの、浅見さん一人が思わなくても、現実のほうはその方向で決着しちゃったんじゃないのですか？」

「いや、決着はしていませんよ。それに、疑惑を抱いているのは僕一人だけではないのです」

「そうなんですか、ほかにも誰かいるんですか？」

「いますよ。有力な仲間が……それに、あなただって疑惑を抱いているでしょう？」

「えっ、私が？　まさか……」

繭美の笑おうとした頬《ほお》が、引きつるのが分かった。

2

「ところで……」と、浅見は彼女の動揺に気づかなかったふうを装って、狭苦しい室内の様子をグルッと見回して、言った。

「あの『谷根千界談』に広告を載せてもらう場合には、こちらに頼みに来ればいいのですか?」

「ええ、そうですけど?」

繭美は浅見が妙なことを言い出したので、面食らっている。

「そうなのですか、べつに広告代理店を通す必要はないのですね?」

「広告代理店?……まさか、そんなオーバーな……」

繭美は呆れ、ついに笑った。

「こんなちっぽけな雑誌に、広告代理店なんか見向きもするものですか」

「そうかなあ……つかぬことをお訊きしますが、発行部数はどのくらいですか?」

「公称一万部ですけど」

「それはすごい、発行部数一万といえば、堂々たるものじゃないですか。宣伝効果だって、充分、上がるはずです」

「それはまあ、地元の谷根千ではね。だから広告の申し込みも、けっこう満パイの状態なんです。はじめのころは、近所のお店を拝み倒して、なんとか広告を出してもらったんですけど、いまは先方から阪下まで持ち込んで下さるほどになったんです」

「それじゃ、頼みに来ても、載せてもらうのは順番待ちですか？」

「ええ、スペースに限界がありますから」

「それくらいになると、マスコミとして、つまり、世論を誘導するほどの力があるでしょうね」

「え？　ええ、まあそれほど大袈裟《おおげさ》じゃないですけど、多少は発言力もついていると思います。だから、不忍池の駐車場問題や、上野駅の改築問題でキャンペーンを展開したりもするわけですけど」

「なるほどねえ……」

浅見は大きく頷いてみせてから、訊いた。

「ところで、谷中の商店街のお店で、『谷根千界談』に広告を掲載しているのは、いくつぐらいあるのですか？」

「十いくつかしら、三分の二は谷中のお店ですから」

「蘭歩亭はどうですか？」

「ええ、入ってます。でも、毎号というわけでもないんです。順番待ちしているお店に、順送りにスペースを譲って上げていただくのです」

「このあいだ訪ねて歩いた、よみせ通りの小沢眼鏡店からおたくのお店までのあいだでは、どうですか？」

「小沢さんも、山忠さんも、それから蜂谷時計店でしょう、高梨スポーツ店もそうです。もちろん、うちの店も出させましたけど」

「そこのおやじさんたちは、ここに見えたことがあるのですか？」

「ええ、もちろん、一度や二度……もっと多い人もいますよ。あの人たちによって、谷根千マガジンは支えられているみたいなものですもの」

「その中で、不忍池駐車場の問題や、上野駅の改築問題の反対運動に関係している人は、誰々でしょうか？」

「それは大抵の……えっ？　どういう意味ですか、それって？」

繭美は、ようやく浅見の質問の意図に気づいて、眉根を寄せた。

「じつは、不忍池の近くで殺された和田さんという人が、以前、ちょくちょくこの辺りに来ていたことが分かったのです。その人は、ＪＲの建設計画の下工作をする役割を担っていましてね。ひそかに、地元の反対派を説得していたと考えられます」

藺美は浅見を睨《にら》みつけるようにして、それでもコックリと頷いた。同時に、唾《つば》を飲み込む音が聞こえた。

「こちらの谷根千マガジンは、いわば反対派の拠点みたいなものですから、和田氏が注目していなかったはずはないですよね」

「それはそうかもしれないけど、でも、和田さんなんていう人、うちには現れたことがありませんよ。JRのプロジェクトに関与している人たちは、ずいぶん大勢知っているけど、そんな人がいるなんてことは、私はぜんぜん知らないし」

「おそらく、表立っては行動することは、あまりしていなかったのでしょう。隠密裡《おんみつり》に個人的に接触して、懐柔するのが仕事だったのじゃないですかね。しかし、和田氏のほうは反対派の人のことは、充分、研究していたにちがいありません」

「はあ……でも、そうだとして、それがどうかしたのですか？」

「つまり、この付近をうろついていれば、谷中の商店主の人と接触する機会もあっただろうな——と思うのです」

「じゃあ、そのうちの誰かが、和田さんに懐柔されていたっていうわけですか？」

「その可能性があるのではないかと……」

「そんな……いったい誰がそんな……」

藺美は反発の方途を求めるように、視線を落ち着きなく天井に彷徨《さまよ》わせた。

浅見はじっとその表情の動きを見つめた。彼女の脳裏には、次々に思い浮かぶ顔があるにちがいない。事実、藺美の目は何度も動きを停めることがあった。その時その時に、藺美は特定の誰かに焦点を合わせているはずだった。

最後に彼女は、すべてのイメージを払い落とすようにかぶりを振った。

「思いつかないわ、そんな人。谷中には、同志を裏切るような人、いませんよ」

「というと、谷中に住んでいる人は、全員が上野駅改築に反対しているのですか？」

「そういうわけじゃないけど……」

「しかし、大林さんの言うのを聞いていると、なんだか、自分たちに反対する人間が異端者のように聞こえますよ。中世の魔女狩りか何かのようでもあります」

「魔女狩り？……」

藺美はギョッとしたように、一瞬、浅見に視線を走らせて、すぐそっぽを向いた。

「商店主の方の中にだって、たとえば上野駅の改築に賛成している人がいても不思議はないはずでしょう。僕みたいにあまりJRを利用しない人間でさえ、客観的に見て、あんなに古くて不便な駅を、なぜそのまま放置しておくのかと思っていたくらいですからね」

「それはあれですよ、JRは全面改築したいために、部分的な改修工事を一切やっていないからですよ。不便さや汚さに我慢できないという、改築を求める声が上がるのを待っているんです。そんなんでなく、部分改修でも充分、対応できるはずなのに」

「なるほど、そういう考えもあるかもしれませんね。しかし、どうせなら全部変えてしまったほうがいいと思う人がいても、いっこうに構わないんじゃありませんか？　それを阻《はば》んでいるのは、地元商店街や旅館などのエゴではないかって、利用者側の立場からいうと、そう思えたりもします」

「経済的な理由で反対しているだけじゃありませんよ。浅見さんは、地元の人間じゃないから、そういう冷たいことを言うんです。私たち地元に住む者にとって、上野駅には母親に対するような愛着があるんです」

藺美が「母親に……」と言ったとき、その目に光るものが浮かんだ。

「そう言われると、余所者《よそもの》としては沈黙せざるをえませんが……」

浅見は視線を逸らせた。大林文具店を訪ねたときの印象で、藺美に母親がいないことをうすうす察していただけに、これ以上、議論をつづけるのは気が重い。

「分かりました。大林さんが言うとおりなのだと思います」

浅見は敗北宣言を出すように、言った。

「たぶん、誰もが駅ビル改築には反対を叫んでいるのでしょう。だとすると、和田氏は多額の工作資金を全部、自分のために流用していたわけですね。ひどい話だ。もっとも、株の不正取り引きで三十億円も儲けておきながら、脱税している閣僚に較べれば、ささやかなものですが。かりに、その工作資金のおこぼれにあずかったとしても、とるに足らぬことかもしれませんね。そうやって、日本という国は、上から下まで、カネまみれになって汚れてゆくというわけです」

「浅見さん！」と、繭美は堪えきれなくなったように言った。

「浅見さんは、谷中の住人の誰かが、そういうお金をもらいながら、口を拭《ぬぐ》って、駅ビル反対を叫んでいるって、そう言いたいのですか？　そして、その人が和田という人を殺し、寺山という人を殺したのではないかって、そう言いたいのですか？」

「ええ、僕はそう考えています」

浅見は冷ややかに聞こえるような、平板な口調で答えた。

「でも、和田氏がそういう仕事をしていた人だとしたら、何も谷中ばかりでなく、上野駅周辺のあらゆる場所にアタックしていたのじゃないんですか？　ほかのところで、そういう工作資金をバラ撒《ま》いていたかもしれないじゃありませんか。現に、和田氏が殺されたのは、不忍池の近くだったのでしょう？」

「そう、和田氏だけが殺されたのであれば、そういう考え方もあったでしょうね。ところが、寺山青年が殺されたことで、谷中に限定されることになったのです。いや、それも蘭歩亭の常連の中に限定してもいいと断言できます」

「そんな……」

藺美は全身を硬直させた。怒りと恐怖で、顔も手も細かく震えている。

「はっきり……もっと、はっきり言ったらどうなんですか。いちばん怪しいのはおまえの父親だって。このあいだ、老眼のくせに、よく写真の顔が識別できたもんだなんて、あんな思わせぶりなことを言って……そういう、真綿で首を絞めるみたいな、あなたのやり方、卑劣だわ！」

「卑劣？……」

浅見は眉をひそめた。それから、テーブルの上に手をついて、ゆっくりと立ち上がった。脚にかすかなしびれを感じたが、それを抑制して、藺美を見下ろした。

「自分にとって都合の悪い相手を殺すこと以上に、卑劣な行為はないと思いますよ」

沈黙した藺美に背を向けると、浅見は土間の靴に足を突っ込んだ。

玄関のドアに手をかけながら、浅見は振り向いて言った。

「一つだけはっきりさせておきます。あなたがどう感じようと、それは自由ですが、僕はあなたのお父さんが殺人犯だなどとは、ただの一度も言ってませんよ」

藺美の目はこっちを向いていたが、焦点は定まっていなかった。浅見の言葉に困惑しているのが、ありありと見て取れた。

浅見はそれを確かめると、ドアを押して夕暮れの気配が迫る、千駄木の街に出た。

（卑劣か――）

正直なところ、藺美の投げた言葉は胸にグサリと突き刺さった。

彼女の言うとおりだ――と思った。たしかに浅見は卑劣な手を使った。

しかし、いまは大林藺美を動かす以外に、浅見の持ち駒はない。将棋の桂馬のように、藺美が壁越しに「王手」をかけて、囲いの中の王様が動き出るのを待つしかないのだ。

3

藺美は浅見が出ていった玄関を、しばらく睨んでいた。

あの男に沢山言ってやりたいことがあった。そのくせ、浅見がもういちどそこのドアから、ひょっこり顔を覗かせたら、全然べつの言葉を吐きそうな気がした。

しばらくじっとしていてから、藺美はノロノロと動いて、テープレコーダーを持ってきた。

レコーダーにはテープがセットしてある。暮れにあった、上野駅ビル建設問題についての懇談会の録音テープだ。繭美は出席できなかったので、山崎基代にテープ録《ど》りをしてきてもらった。

テープはえんえん二時間近くの録音であった。その中の、父親の峰雄が発言している部分を探した。おっとりした口調だから、早回しでも峰雄の語り口の部分は判別できるほどだ。ほとんど終わり近くになってから、峰雄はやっと口を開いていた。

繭美はテープを操作して、父親の話の頭の部分から再生した。

——何がなんでもだめというのでなく、妥協点を見出すことも考えていいのじゃないですかねえ。たとえば、高さを制限するとか、デパートの規模を縮小させるとか、建物の中に上野の山と下の街とを結んで、自由に往来できるスペースをたっぷり取ってもらうとか、いろいろ条件をつけてですよ。

——そういう弱気はだめだって言ってるんだよ、ミネさん。

蜂谷時計店のおやじの声であった。

——絶対反対の姿勢を貫かないと、テキは調子に乗って押してくるよ。そんな団結を乱すようなことを言ったら、そこから突き崩しにかかるに決まっているんだからさ。

——だけど、それじゃ話しあいの余地がないってことじゃないのさ。それでいったら、向こうだって、当初の計画どおり進めて、一歩も妥協しないことになるよ。こっちの言い分は何一つ通らないってことになりかねないんじゃないかな。

——なんだいミネさん、やけに物分かりがよくなっちまったじゃないの。何かあったのかい？

——何かって、何だよ。

——いや、知らないけどさ。妥協してもよくなったのには、それなりの理由なんかがあるのじゃないかと思ってね。たとえば、誰かに説得されたとかさ。

——そんなことはないよ。

——じゃあ、ミネさんは最初から上野駅ビル計画には賛成ってことだったわけ？　だけど、そんなこと、いままでおくびにも出さなかったじゃないのよ。

——それは、私にはよく分からなかったからさ。

——そんなことないんじゃないの？　気持ちの中では、あんなもの、早くぶっ壊して、新しくしちまったほうがいいと思っていたんじゃないの?

ふいに静寂が訪れた。

繭美はラジカセが故障でもしたのかと思ったほど、長い無音状態であった。

――まあ、そんなことはないでしょう。

蘭歩亭のマスターのとりなすような声が聞こえた。

繭美は驚いてしまった。長い無音状態は、気まずい沈黙の時間だったのだ。どう考えても非礼としか思えない蜂谷の言葉に、父親が黙ってしまったことが、繭美にはショックであった。

(いまのは何だったのかしら?――)

繭美はテープを巻き戻して、もう一度、父親の発言部分を聞いてみた。

たしかに、峰雄の発言は利敵行為であるかもしれないけれど、頭から圧殺してしまうほどのことはない。それでは議論にも何にもならないではないか。そういう考え方もあるかな――というところから、議論が沸騰してしかるべきだ。

（魔女狩り――）

藺美はふと思った。父親が言ったのと同じ言葉を、浅見の口から聞いた。

ひょっとすると、自分だって魔女狩りと同じようなことをしていたのではないだろうか――と愕然《がくぜん》とした。

反対意見や少数意見に対して、それらを「異端」と決めつけ、圧殺したり封殺したりしようとする気持ちが、自分の中にあるのではないか――と思った。

「自分に都合の悪い相手を殺してしまう」と言った浅見の声が、耳朶《じだ》に蘇《よみがえ》った。

人間は――とくに、政治や言論に携わる人間は、心のどこかに、いつも「魔女狩り」の意志を秘めているのかもしれない。

人間は変化に対する順応性を持っていて、それによって万物の霊長になり上がった。その反面、異端の出現や存在に対して脅《おび》え、抹殺しないではいられない、本能的な防衛欲求を身につけているともいえる。

中世の「魔女狩り」は近代では「粛清《しゆくせい》」と名を変え、ときには「自己批判」などと美化した言い方で、異端者に対して強要したりもする。それと同じことを、自分たちの『谷根千界談』も犯していないとはかぎらない。

JRのやり方はたしかに傲慢《ごうまん》だと、藺美は思っている。上野駅周辺の無数の商店や旅館やそのほかの、営々孜々《えいえいしし》として生きてきた人々の感情を逆撫《さかな》でするような、あたかも侵略者のごとき傲慢さが、彼らのプランにはある——という、その認識は動かしようのないものだ。

しかし、その認識なり感情なりが正論であるのかないのかは、相対的なものだ。それにもかかわらず、個々の人間の素朴な気持ちまでも圧殺しようというのは、たしかに、父親や浅見がいみじくも言ったように、魔女狩りの思想であるのかもしれない。

——上野駅にはさ、おれたちの思い出が込められているんじゃないのかよ。

テープはふたたび蜂谷の声を、搾《しぼ》り出すように流した。

——考えてもみてよ。終戦後にさ、学童疎開から戻ってきて、赤羽《あかばね》からこっち、王子《おうじ》も尾《お》久《ぐ》も三河島《みかわしま》も日暮里にかけての下町も、全部焼けちまって、一面の焼け野原の中を通って、上野駅に到着したとき、みんな泣いたぜ。焼け跡の中に、上野駅が残っていて、谷中の森も五重の塔も残っていて、上野の山と一緒におれたちの谷中の町が焼け残っているのを見たとき、こんなに幸せなことはねえと思ったぜ。それから、上野駅が浮浪者であふれかえって、浮浪児たちとの戦争に明け暮れてさ、ひどい時代……。

――もういいよ、分かったよケンちゃん、やめておけよ、古い話は。

蘭歩亭のマスターが、大きな声で蜂谷を制した。それでまた、しばらくのあいだ、テープは無音のまま回った。

そのあとに出てきたのは、山忠呉服店の主人の声で、「まあ、とにかく、当分のあいだは結束を固めてですな……」などと、まとめに入って、それ以降は大した議論もないまま、上野駅問題は棚上げされた。

藺美はテープレコーダーのスイッチを切って、五、六分はボーッとしていた。

父親の意見に賛成する気はぜんぜんないにもかかわらず、父親が蜂谷ごときに言い負かされて、シュンとなってしまった様子が、彼女には悔しかった。

あの日の夕刻、懇談会に出席する前に、憂鬱そうだった父親の顔が思い出された。

出席すれば何か言わなければならない。しかし、何かを言えば、叩《たた》きのめされるにちがいない――と、峰雄はきっと、分かっていたのだろう。

(私だったら、負けずに、もっと言い返してやったのに――)

藺美は蜂谷のおやじなんかに――と憤慨しながら、考え方が逆であることに気づいて、妙な気がした、父親に加勢したい気持ちが、ときには主義主張に優先するなんてこともあるのかもしれない——と思った。

繭美はテーブルの上に、ほかの資料と一緒くたに積まれた、既刊の『谷根千界談』の中から、「上野駅特集」を探し出して、広げてみた。

「ふるさとへの終着駅」と題した、この特別増刊号の表4には、石川啄木の歌が印刷されている。

ふるさとの訛なつかし
停車場の人ごみの中に
そを聴きにゆく

この歌が詠《よ》まれたのは明治時代である。停車場がどこであるかは書いてないにもかかわらず、この歌にふさわしい「停車場」は上野駅以外には考えられない。

地方から東京に来た人々にとっては、上野駅は「ふるさとへの終着駅」であるけれど、上野に住む人々には、上野駅は「ふるさとの終着駅」そのものなのである。

そのことを、この増刊号ではうたいたかった。

冒頭の数ページにわたって、アンケート調査や、一般からの投書を掲載した。上野駅改築について、多くの意見は必要な部分を改修すればいいとしている。

——駅は鉄道駅としての機能を確保されればいい。ＪＲの高層ビル化の目的は、貸しビル、ホテル等の収益にあるのであって、本来の駅の役割を逸脱するものだ。超高層は自然や歴史的環境を破壊する。地元中小商工業者にとってマイナス。

こういった意見が大半を占めていた。

ただし、逆の意見もないわけではない。編集方針としては、投書を採用するにあたっては公平を期したつもりなのだ。

——超高層がいいかどうかは分からないが、建て直して、きれいで分かりやすく、なおかつ郷愁をそそるような駅なら、建て直してもらいたい。いまの駅舎はひどすぎる。とにかく汚い。東北地方が軽視されていることの象徴だと思っている。

これはごくごく少数の意見である。もっとも、「上野駅を残す運動」への投書なのだから、少なくても当然ともいえるけれど。

繭美はぼんやりした視線を、黄昏《たそがれ》色の窓に向けた。澱《おり》のような疲労感が体のすみずみに溜まっているような気分であった。

電話を留守番用にセットしておいて街に出た。

不忍通りを左へ、道灌《どうかん》山下のほうへ向かって、どこかで食事をと考えながら、のんびり歩いた。

この道は不忍池のほとり——池之端《いけのはた》から護国寺《ごこくじ》方面、そして池袋へと向かう。比較的重要な道路であるのに、いつまで経っても拡幅されない。もっとも、拡幅しようにも余地がないのだろうけれど、したがって、車は慢性的に渋滞する道だ。

　この界隈には大きなビルはない。歩道に面して、小さな商店やオフィスや飲食店が雑然と軒を連ねている。歩道の端に石油罐《かん》を出して、ゴミを燃やしていても、あまり通行の迷惑にならないようなところだ。

　繭美は団子坂下を通って、道灌山下まで行って、思いつきで天米に入った。戦前からやっている天麩羅《てんぷら》屋で、かき揚げが美味いと評判の店である。

　ちっぽけな店で、入ってすぐの右手に調理場があって、七十を過ぎたおやじさんと跡継ぎの息子が天麩羅を揚げている。その前には、よく磨き込んで縁が丸くなった白木のカウンターがある。そのカウンターで、時計屋の蜂谷健太が、天麩羅をつまみに手酌で酒を飲んでいた。

「あら……」

　繭美は思わず、いやだな――という気持ちが口を衝《つ》いて出た。

「やあ、妙なところで会うなあ」

　蜂谷はお銚子《ちょうし》を持った手をあげて、屈託なく笑いかけた。

「お店、空けといて、いいんですか？」

藺美は仕方なく、蜂谷の隣に腰を下ろしながら、言った。

「はは、五時で閉めちゃった。正月はだめよ。みんなカネ、使い切っちゃってさ」

蜂谷はお銚子を取って「やる？」と訊いた。藺美は「だめだめ」と首を振った。

「これからまだ仕事なんです」

おやじに天丼《てんどん》を頼んでおいてから、蜂谷に「上野駅のことだけど」と小声で言った。

「うちの父、上野駅ビルの計画に賛成なんですかねえ？」

「ん？……」

蜂谷はびっくりして、お猪口《ちょこ》の酒を少し零《こぼ》した。

「なんだい、いきなり」

「ちょっと気になったものだから」

「そんなことはないだろう、ミネさんは根っからのノガミっ子みたいなものだよ」

「だけど、このあいだの懇談会のテープ聴くと、おじさんとやり合っていて、駅ビル賛成みたいなこと喋《しゃべ》っていたし……」

「そう、あれ聴いたの」

「ええ、うちの父、前はそんなこと言わなかったんだけれど、最近、ちょくちょく、それらしいことを言うようになったみたいで、気にはなっていたんですよね」

「まあ、たしかに、ミネさんは考え方が変わってきたっていうことはあるかもしれないなあ。だけど、みんな悩んではいるのよ。どっちがいいか、分からなくなってる人、多いんじゃないの」

「だけど、父にかぎって、変節はしないって信じていたもんだから」

「それはそうかもしれないけどさ」

「なぜ変わったか、分かりません?」

「なぜって……分からないよ、そんな、人の考えることなんか」

「買収ってこと、ないかしら?」

「買収?……」

もちろん、繭美は小さな声で言ったつもりだが、蜂谷はギョッとして、慌てて、辺りを見回した。

「ちょっと、あっちへ移ろうか」

店のおばさんにテーブルへ移ると言って、蜂谷はお銚子とお猪口を両手に持って、踊るような恰好で奥のほうに席を移した。

「ばかなこと言うんじゃないよ」

繭美がテーブルの向かい側に坐ると、蜂谷は低い声で叱咤《しった》した。

「どうしてそんなばかなこと考えたりするのさ。かりにも繭美ちゃんのおやじさんじゃないかよ」

「でも、ちょっと聞いたものだから」

「聞いたって、何を？」

「だから、買収の話。JR関係の工事をしている大手建設会社の系列で、そういう、買収工作みたいなことをしていた人が、最近、殺されたんですって」

「そんなこと、誰に聞いたの？」

「ある筋……消息通っていうのかしら」

「ふーん……しかし、だからって、どうして……」

おばさんが天丼を運んできて、味噌汁や漬物を置いて立ち去るまでのあいだ、会話が途切れた。

「まさか繭美ちゃん、その殺しまで、何か関係があるとでも？……」

お猪口を口につけたままで、蜂谷は繭美の顔を覗き込むようにして、訊いた。

繭美は揚げたての海老《えび》を口の中でモガモガさせながら、頷いた。

「よしてくれよ。そんな、おかしなこと考えるのはさあ」

蜂谷は泣きそうに眉をひそめた。

「でもね」

藺美は口の中のものをお茶で飲み下して、言った。

「このあいだの、谷中霊園で自殺したっていう人、あの男の人もその事件に関係があって、ほんとは自殺じゃなくて、殺されたらしいって、調べてるみたいですよ」

「えっ、ほんとなの？　警察が動いているのかい？」

「警察……かどうか、よく知らないけど……あの、そのこと、蘭歩亭のマスターとか、うちの父とか、話しませんでした？」

「いいや、何も。前に警察が蘭歩亭に聞き込みに来たってことは聞いたけど。だけど、あれは結局、自殺で片がついて、それっきりなんじゃないの？」

「そうなんですか……」

蘭歩亭のマスターは客商売だからともかくとして、父親がなぜ、浅見という男から聞いた話を、親友である蜂谷に黙っていたのか、藺美には釈然としなかった。

「そうか、このあいだ、蘭歩亭の留守番がどうしたとか言ってた、あれ、そのことだったたってわけ？」

蜂谷は気がついた。

「それじゃ、あのとき一緒だった男は刑事なのかい？」

「違います、刑事なんかじゃないけど、でも、けっこう、いい勘してるんですよね」

無意識に褒めるようなことを言っている自分に、繭美は腹が立って、急いで、天麩羅を口に放り込んだ。

「いい勘て？」

蜂谷は繭美の様子を興味深そうに見つめて、訊いた。

「べつにいい勘ていうほどのことじゃないかもしれないけど、ただ、言ったり考えたりすることが、警察よりちょっと鋭いかなって、そんな感じがしただけです」

繭美は憮然《ぶぜん》として言って、またお茶を飲んだ。

「だけど、あんなやつ、嫌いだわ」

「おいおい、何なのさ、それは。褒めたり貶《けな》したり」

蜂谷は笑った。

「だって、私たちの谷中の町を、イヌみたいに、しつこく嗅《か》ぎ回ったりして、不愉快じゃないですか」

「えっ、あれからまだ嗅ぎ回っているってことなのかい？」

「ええ、さっきも来たんです。こっちの心の中にまで、土足で踏み込むような、卑劣な探り方をするんですよね。父のことだって、引っ掛けるみたいなことをして……」

「繭美ちゃん、まさかあんた、おやじさんのことを……」

笑顔を消して、蜂谷は心配そうに繭美の顔を見つめた。

繭美は丼《どんぶり》で顔を隠すようにして、天丼をかっこんだ。

第五章　父と娘

1

山田部長刑事から電話がかかってきた。山田は電話で「上野出版の山田」と名乗ることになっている。須美子が呼びに来たとき、浅見は「また原稿依頼か、ああ忙しい」と、ボヤキを言ったが、須美子は疑わしい目をしていた。次男坊の嘘を見分ける、鋭い洞察力の持ち主ではある。

「ちょっと困ったことになりました」

山田は憂鬱《ゆううつ》そうな声で言った。

「さっき課長に呼ばれましてね、誰に相談もなく、勝手なことをやってもらっては困ると、釘を刺されました」

「えっ、というと、例の件がばれたのですか？」

「どうもそうらしいのです。それに、どうやら浅見さんの存在も見抜いているらしくて、しつこく訊かれましてね」

「どうして分かったのですかね？　それで、山田さんは、僕のことを話しちゃったのですか？」

「いや、まだです。ちょうど来客があったもんで、とりあえず保釈されました」

冗談を言っているにもかかわらず、山田はぜんぜん笑いもしなかった。

「まずいですね」

浅見も深刻になった。

「それ、つまり、僕のことを話すのはまずいんですよねえ」

「しかし、ルポライターから情報をもらうケースは珍しいことでもないから、あまり問題はないと思いますが」

「いや、僕の場合はまずいのです」

「そんなに狼狽《ろうばい》するほどのことじゃないですよ。浅見さんらしくもないですなあ。それとも、まさか、浅見さん、前科があるなんてことじゃないのでしょうね？」

山田はふと思いついて、とたんに不安そうな声になった。

「まさか、僕には前科なんてものはありませんが、とにかく、僕としては、ほかのことはともかく、素性をばらされることだけは、大いに具合が悪いのです。何とか黙っていてくれませんか」

「どうしてですか？　べつに悪いことをしていないのなら、家のことがばれたって、いっこうに構わないじゃないですか」

「いや、それがそうじゃない、ややこしい家庭の事情があると思ってください」

「うーん、しかしねえ、そう言われても、上司に対して嘘をつくわけにもいきませんからねえ……」

「それはそうかもしれませんが、もうしばらくのあいだは黙秘していてください。お願いします」

「黙秘ですか……なんだか犯罪者みたいなことになってきましたな。浅見さん、自分はかりにも警察官ですぞ」

「もちろん分かっています、しかし……いや、電話ではナンですから、とにかく、これからそっちへ行きます。すみませんが、また蘭歩亭で待っていてください、いいですね、お願いしますよ」

浅見は一方的に電話を切って、家を飛び出した。

うっかりソアラで出かけたのはいいが、駐車場探しにひと苦労して、蘭歩亭に着くまで小一時間もかかった。

店は相変わらずヒマで、お客はほかになく、山田の姿も見えなかった。待ち草臥《くたび》れて帰ってしまったのだろうか。

「このあいだ僕と待ち合わせた男の人、来ませんでしたか？」

マスターに訊いてみた。

「いえ、見えてませんが」

マスターはいつもの微笑を浮かべて、愛想よく答えた。

浅見はこの前のときと同じテーブルに坐った。コーヒーを運んできたマスターが、浅見の前に佇《たたず》んで、「このあいだの話、どうなりました？」と訊いた。

「ああ、例の写真のことですか？　あれっきりですよ、進展せずです」

「しかし、お客さん、けっこう動いているそうじゃないですか」

「それほどでもないですよ。素人には限界がありますからね」

「そうでもないでしょう、本職の刑事さんをそそのかすほどだから」

「？……」

浅見は思わずマスターの顔を見上げた。笑みを浮かべた顔だが、皮肉な悪意のようなものが感じ取れた。

「マスターは彼を知っているのですか？」

「そりゃ知ってますよ、地元署の刑事さんぐらいはね」

「そうですか……」

やはり、この店を利用するのはまずかったのだ——と、浅見は反省した。この前のときにそのことを感じていた。しかし、それならどこがいいのか、思いつく場所がなかったので、きょうはぜんぜん意識なしに、この店を選んだ。

「お客さんにこんなこと言っちゃ、なんだけど、あまりこの町に来て、引っ掻《か》き回してもらいたくないですねえ」

マスターはごついことを言い出した。浅見は黙っていた。

「おたくが来てからこっち、なんとなくザワザワと落ち着かなくていけない。若い女性を脅かしたり泣かしたりするのは、あまりいい趣味とは言えないでしょう」

「そんなことはしていませんが」

さすがに腹に据えかねて、険しい目でマスターを睨んだ。

しかし、マスターは平然とした顔で、さらに言葉を継いだ。

「おたくはそうでしょう。しかし、おたくはしていないつもりでも、受け止めるほうは穏やかじゃないんですよ。いろいろ、波紋ていうのかな、気持ちが動揺して、あらぬ想像をしたり、悲観的になったり、人を疑ったりしてね。これはよくないですよ。いいかげんで、お遊びはやめにしていただきたいもんですねえ」

「お遊び？」

「そうでしょう、おたくが言ったように、労働でもなければボランティアでもない。要するにお遊びなんですよ。探偵ごっこ。私も子供のころから江戸川乱歩が好きでしてねえ。昔、近所の悪ガキどもを集めちゃ、かくれんぼの延長みたいなので、少年探偵団ごっこなんてやったけど。だけど、いいトシして、おまけに本職の刑事を巻き込んだんじゃ、シャレにもなりゃしないですよ」

「お遊びやシャレのつもりはありません」

浅見は努めて冷静を装って言ったが、内心は怒りが沸騰する想いだった。

「これは本物の探偵です。もちろん、依頼人が存在するわけでも、報酬がもらえるわけでもないが、しかしごっこではない、真剣な仕事です」

「目的は？　何のためにやってるんです？」

「正義を貫くためです」

「正義ねえ……」

マスターは溜め息をついた。

「正義なんて、相対的なものですよ。こっちの正義は、相手にとっては非道であったりすることが多いものです」

「しかし、殺人は相手の存在を抹殺してしまうのですからね、相対的とは言えないでしょう」

「まあそうかもしれないけど、それにしたって、警察でもない第三者がシャシャリ出れば、ろくなことにならないです」

「警察が何もしないから、僕がやっているだけです」

「だったら、誰も巻き込んだりしないで、おたくだけでやればいい。あの刑事さんだって、それに、ほかの人だって、みんな迷惑していますよ。第一、プライバシーの侵害じゃないですか」

浅見は黙って、マスターの顔を睨んだ。睨んでいるうちにむしょうに悲しくなった。まるで言葉の通じあわない、北極かどこかの人間と話しているような、冷たさと空しさに、打ちひしがれる想いが込み上げてきた。それ以上に、自分がガリバーのようなエトランゼであることを思った。

ふっと目に涙が浮かんでくるのを感じた。(ばかな!——)と女々しさを恥じて、怒りと正義感をかき立てたが、涙が滲《にじ》んでくるのをどうすることもできなかった。

マスターは、浅見のこの突然の変容に驚いたらしい。狼狽したように、椅子に腰を下ろして、少し口ごもりながら言った。

「じつはですね、さっきの少年探偵団のことで、つらい思い出があるのですよ。われわれが十二か十三か、とにかく小学校を出たばかりから、上はせいぜい十五、六の連中が徒党を組んで、谷中と上野の森を守るんだとか言っちゃって……ああ、何から守るかといいますとね、当時、上野駅とその周辺には何万という浮浪者が住みついていて、その中には、われわれと同じくらいの年頃の浮浪児も大勢いたのです。つまり、戦災孤児ですな。彼らは飢えていて、生きるためなら何でもやった。もちろん盗みなんかは朝飯前です。家を焼かれ親兄弟は死んで、明日のない日々のようなものでした。彼らの目から見ると、戦災で焼けなかった谷中界隈は、まるで別世界のように思えたでしょうな。こっちだって、ろくすっぽ食い物のない時代だったけど、彼らはそうは思わなかった。まさにネコにカツオブシのようなものです。そんなわけで、しょっちゅうトラブルが発生する。庭先を掘り返して畑を作って、丹精の結果、ようやく実らせたカボチャが、翌朝になったら消えていたなんてことは、珍しくなかったのですよ。われわれ少年探偵団は、そういう連中——怪盗団などと呼んでいましたが、やつらの侵入を食い止める自警団的な役割を担っているつもりでした。そして、悲劇が起きたのです……」

蘭歩亭のマスターは言葉を止め、しばらくじっと、窓の外を眺めた。

「悪か正義かといえば、こっちが正義だったと考えていいでしょう。しかし、彼らにしてみれば、生きることが正義だったにちがいない。だとすれば、生きるための盗みだって正義でないはずがないという論理です。戦争中は大日本帝国が正義だと教えられてきたのに、負けたとたんに、アメリカが正義で、じつは日本は悪のかたまりだったなんて、どういう論理をもってくれば説明がつくのか、子供たちに理解しろというのが無理な話です。それにしても、連中は恐れを知らなかった。そのことがわれわれには恐ろしかったのかもしれません。恐怖が逆に残虐性を引き出したといってもいいでしょう。われわれ少年探偵団は、防衛から一転して、彼らを襲ったのです。数人を十数人で襲った。東京芸大のところに境界線を引いて、こっちに入ってきたやつを徹底的にやっつけた。逃げるのを追い掛けて、上野駅近くまで追っぱらったのです。上野駅は連中の最後の砦《とりで》でした。駅の上の断崖《だんがい》まで追い詰めておいて、凱歌《がいか》をあげて引き揚げるときには、たしかに快感を覚えましたね。そういう遊びの要素はエスカレートするものです。ある夜、いつものように連中を追って上野駅の上まで行ったとき、やつらが伏せておいた仲間が反撃してきました。こっちのほうが人数は多かったが、敵は死に物狂いですから、われわれも必死になりましたよ。無我夢中で戦っているとき、一人の少年が背後から突き飛ばされたはずみに、足を踏み滑らせて、断崖を上野駅に向かって転落したのです」

マスターは話を中断した。その夜の情景が、彼の頭の中に蘇《よみがえ》っているのだろう。

「すごい悲鳴でした。全員が乱闘を止めて、断崖の上に駆け寄りました。断崖の下はレールです。呻《うめ》き声一つ聞こえなかった。それから、双方とも逃げました。誰が落ちたのか、生きているのか死んでしまったのか、分からないまま、とにかく逃げました。谷中の墓地の五重の塔のところまで逃げて、探偵団員は全員が揃《そろ》っていることを確認してから、それぞれの家に帰りました」

「じゃあ、落ちたのは浮浪児だったということですか」

浅見はようやく口を挟んだ。

マスターはコックリと頷いた。

「その夜が最後の戦いになりました。転落した少年が即死したことは、何日か経って知りました」

「誰が……」と浅見は唾《つば》を飲み込んで、訊いた。

「誰が突き飛ばしたのですか？」

「………」

マスターは黙って、浅見から視線を逸らすと、物憂げに立ち上がった。

「犯人は捕まったのですか？」

浅見はカウンターの中に入って洗い物を始めたマスターに、苛立《いらだ》たしそうに訊いた。

マスターは首を横に振った。

「人が死ぬことに馴《な》らされていた時代です。いや、私は、そんなことを言うためにこの話をしたわけではありませんよ。私はただ、正義について話したかっただけです。おたくが正義だと信じていることが、本当にそうなのか、疑ってみてもらいたいだけです」

浅見には、マスターがこっちの質問をはぐらかそうとしているとしか思えなかった。

「あなたは誰かを庇《かば》っているのですか？」

「………」

「それとも、自分を庇っているのですか？」

マスターは何も言わなかった。肯定とも否定とも受け取れる、曖昧《あいまい》な微笑を浮かべたままの、仮面のような顔であった。

「あなたはこの町の何なのですか？　守護神のつもりなのですか？」

浅見は精一杯の皮肉を込めて、言った。

2

そのとき、ドアの切子《きりこ》ガラスの向こうに、コートの襟《えり》を立てて山田部長刑事がやって来るのが見えた。一人ではない。山田と同じように私服でコートを着た、いくぶん若くて大柄の男が、山田を従えるようにして近づいてきた。

「そうか、あなただったのですね、下谷署に僕と山田さんのことを密告したのは」

浅見はマスターに、憐《あわ》れむような口調で言った。

「ははは、密告とは人聞きが悪い。私は善良な警察官が、ルポライターの尻馬《しりうま》に乗って、あたら晩節を全うしない結果になるのを、見るにしのびなかっただけですよ」

マスターも露骨な敵意を示して、言った。

ドアが開いて、山田が半歩足を踏み入れたところで、店の様子を窺《うかが》ってから、背中をドアにくっつけるようにして、通路をもう一人の男に譲った。

男はマスターに軽く手を挙げて挨拶《あいさつ》すると、山田に「彼か？」と尋ね、山田がかすかに頷くのを見て、真っ直ぐ浅見のいる席に向かってきた。

「浅見さん、こちら下谷署の捜査係長の上松《うえまつ》警部補です」

山田が紹介し、浅見は立って、上松と挨拶を交わした。目の鋭い、頭が切れ腕も立ちそうな警部補であった。

二人の警察官はコートのまま、浅見と向き合って坐った。マスターが水を運んできて、「何にしましょう」と言うのに、上松は手を振って、「すぐに戻るから」と断った。

「いろいろ、山田がお世話になっておるようですね」

厭味《いやみ》な言い方であった。浅見はこのテの言葉を遣う人間が、もっとも嫌いだ。

「いえ、お世話などと、とんでもない、こちらこそご指導いただいています」

浅見も切口上になった。山田は平家蟹《へいけがに》のような顔で、口をへの字に結んでいる。

「浅見さん、ここでは話しにくいので、恐縮だが、署のほうに来ていただけませんか」

上松はそう言って立ち上がった。「来ていただけませんか」と言いながら、「来い」というのと同義語であることは、充分、承知した口調であった。

「はあ……」

浅見は仕方なく従った。警察がはたして、話せば分かる相手かどうか、自信はなかったが、山田を窮地に追いやったままでいるわけにもいかない。

レジで「いくらですか？」と訊くと、マスターは「いや、いいですよ」と言った。

「そうはいきません、あなたにご馳走《ちそう》されるいわれはありません」

「そうですか」

マスターも鼻白んで、骨董品《こっとうひん》のようなレジスターを「チーン」と鳴らした。

上松警部補の車は、浅見のソアラと同じ駐車場に置いてあった。

「ふーん、いい車に乗ってますなあ」

ジロリとソアラを見て、面白くなさそうに言った。

「見失わないように、ゆっくり行きますからね、ちゃんとついてきてくださいよ」

親切そうな言葉だが、上松が言うと「逃げたりするな」という意味に聞こえる。

ともあれ、たしかに上松はのんびりした走り方をした。浅見の後ろの車が焦《じ》れて、異常に接近してくるのが気になった。

谷中霊園の脇を抜けて言問《こととい》通りに出る。言問通りは、在原業平《ありわらのなりひら》の「いざ言問わん都鳥」の歌と、言問団子で有名な言問橋へ行く道路だ。鶯谷《うぐいすだに》駅に近い陸橋を渡った辺りが根岸。「……根岸の里のわび住まい」の根岸である。その隣の町が下谷で、警察署は、だだっ広い昭和通りに面してあった。

建物の中に入ると、はじめて山田と会ったときと同じ取調室に入れられた。上松警部補は山田のほかにもう一人、若い刑事を呼び入れて、調書の作成をさせる構えだ。

「すみませんが、免許証を見せてくれませんか」

上松は万事、丁寧な言葉遣いをする。上松にかぎらず、近頃の警察は言葉遣いにだけは気を配るよう指導しているから、ホストクラブにでも入ったのではないか——と勘違いしそうなほど、耳に心地よい。

しかし、本質的には、警察はやはり警察である。政治家と暴力団と身内以外の、一般人の容疑者に対しては、遠慮会釈なく締め上げる。丁寧語を遣うのは、単にそのカムフラージュでしかない。

若い刑事はまもなく戻ってきて、免許証を返してくれた。免許証は偽造でなく、したがって身元の確認はついたらしい。ただし、スピード違反二回と駐車違反一回の「前科」はバレたにちがいない。

「プライバシーの侵害についての苦情が寄せられておりましてねえ」

上松はボールペンを玩《もてあそ》びながら、チラッ、チラッと浅見の顔に視線を飛ばして言った。

「一応、山田君にも事情を確認したのだが、どうやら、谷中霊園の自殺事件に絡んで、いろいろお調べになっているそうですなあ。いったい、目的は何です？」

「目的ですか？　もちろん、真相を解明したいということです」

「真相？　自殺の真相ですか？　それは分かっているのですよ」

「警察が出した結論は、要するに、池之端の殺人事件で、容疑を受けたのを苦にしたため——というのでしょう？　しかし、僕はそれは間違いだと考えているのです」

「そうお考えになるのはあなたの自由ですがね、それをネタにして、善良な市民を脅迫するようなことをしていただいては、警察としては放置しておくわけにいかないのですがねえ」

「脅迫？……」

ばかばかしい——と思いながら、浅見はきちんと答えた。

「脅迫をしたという事実はありません」

「事実があるかないか、これから調べることにしますがね、そもそも、浅見さんが、谷中霊園の事件を自殺ではないと考えた理由は何なのか、まずそれから聞かせていただきましょうかね」

「僕たちが疑いを持ったきっかけは、自殺した寺山さんからの手紙です」

「手紙？」

「そうです、寺山さんが警察に殺人事件の容疑者として疑われ、過酷な取り調べを受けていることを訴える手紙です。つまり、助けて欲しいという……」

「ちょっと待ってくださいよ、いま確か『僕たち』と言いませんでしたか？」

「ええ、言いました」

「というと、浅見さんのほかにも共犯というか、背後関係……いや、つまり一緒に動いている人がいるということですか？」

「ええ、まあそうです。といっても、一緒に動いているわけではありません。何しろものぐさな人で、食堂とトイレに行くとき以外は、一歩も歩きたがらないほど怠惰《たいだ》な性格ですから。しかし、あれこれ勝手な指示を出したりはしています。もともと、寺山さんの手紙はその人宛《あ》てに送られてきたものです」

「というと、寺山さんの知り合いか何かですか？」

「いや、ぜんぜん関係のない人です」

「じゃあ、弁護士さん？」

「いいえ、作家です。内田康夫という、推理作家です。ご存じないと思いますが」

「知りませんな。もっとも、自分はああいうたぐいのものを書く作家が嫌いでしてね、西村京太郎と赤川次郎ぐらいしか名前を知りません。しかし、何だってそんな人のところに手紙を出したのですかね？」

「内田さんのところというより、彼を通じて僕宛てに——というべきなのです」

「はあ、それはまた、どういうことです？」

「内田さんの小説には、僕が名探偵のごとくに描かれていますから」

「ははは、なるほどねえ。それにしたって、何だってそんな……いや、失礼、そういう素人さんを頼ったりするのですかなあ」

「それは、ほかに頼る人がいなかったからでしょう」

浅見は冷ややかに言った。

「一般の市民は、脅迫された場合には警察を頼ればいいことになっているけれど、警察に脅された場合には、誰を頼ればいいのか、思いつかないものなのです」

「警察は脅したりはしませんがねえ」

上松は苦い顔をした。

「第一、そういう人権を保護するためには、弁護士さんがいるじゃないですか。弁護士さんに頼めばいいのです」

「ふつうの人には、そういう智恵も、それにお金もありませんよ」

浅見は悲しそうに言った。

「彼のために動くのは、せいぜいお人好しの作家か、ひまなルポライターぐらいなものです」

「ふん、つまり、あなたのやっていることは、すべて善意から出たものだと言いたいわけですか。だとすれば、とんでもない思い上がりというべきでしょうなあ」

「思い上がってなんかいません」

「思い上がりでなければ、犯罪行為そのものということになります」

「ほう、犯罪ですか……参考までに伺いますが、どういう罪に問われるのですか?」

「差し当たり、脅迫と業務妨害ですよ」

「またそれですか。脅迫の事実はないと言っているでしょう」

「いや、そうではない、あなたのやっていることは、立派な脅迫罪なのですよ。よろしいですか、恐怖心を生ぜしめる目的をもって害悪を告知することは、刑法二二二条に『脅迫』と規定されています」

「ばかばかしい」

「それと業務妨害——虚偽の風説を流布《るふ》しまたは偽計もしくは威力を用いて人の業務を妨害すること——これはたしか、刑法の二三三と四条でしたか」

「そんなことを、僕がいつ、どこで行ないましたか?」

「やっているじゃないですか。現に蘭歩亭の主人からの訴えがあります。それによれば、浅見さん、あなたは、自殺した寺山さんが蘭歩亭にしばしば現れ、写真を盗まれたことを怨《うら》んでいた——というような風説を広め、さらには、蘭歩亭の常連客の中に事件に関与した人物が存在したかのごとくに脅していたということですが、それは事実ですね?」

「冗談でしょう！　僕はたしかに蘭歩亭や谷中の商店の人たちに、寺山さんの写真を見せて、見憶えがないかとか、そういうことを訊いて回った事実はありますが、脅してなんかいませんよ」

「しかし、寺山さんがじつは自殺したのではなく、殺されたものであり、犯人は蘭歩亭の常連客の中にいると、触れ回ったことは事実でしょうが」

「触れ回ったというような……」

「現に、ここにいる山田君に対しても、他殺説を押しつけ、もしくは情に訴えて懐柔し、情報の入手に便宜を図るよう使嗾《しそう》した事実があるそうじゃないですか」

「そんな、使嗾だなんて……」

「しかし、山田君はそう証言している。そうだね、きみ？」

上松にひと睨みされて、山田部長刑事はなんともいいようのない情けない顔で、ガックリと頷いた。

（ブルータス、おまえもか——）

浅見は目をつぶり、天を仰いだ。

「まあ、山田君のことはともかくとしてですな、脅迫については蘭歩亭の主人からの親告がある以上、警察としても放置しておくわけにいきませんのでね。一応、取り調べさせていただくことになる。よろしいですね。もちろん、取り調べに際しては、あなたの不利になると考えるような場合、黙秘する権利もあります。また、弁護士が必要なら、後刻、そのような手続きを取ってください。それから、たぶん、今夜は遅くなるか、泊まっていただくことになるかもしれませんので、お宅に連絡しておいたほうがいいでしょう。なんなら、警察で代行しますが」

「いえ、それは結構です。家族といっても、僕は独身で、居候みたいな身分ですからね。家の者に知らせて、いたずらに心配をかけることはしたくありません」

「なるほど、それはいい心掛けですなあ。しかし、いずれは知られることになりますよ。ご家族にも事情聴取を行なう必要がありますからね」

「いや、それはだめですよ、やめてくれませんか。家の者には関係ないことですから。いや、黙秘なんかしないで、何でもお話ししますから、それだけはやめてください、お願いしますよ」

「ほほう……」

上松警部補は興味深そうに、背を反らせて、浅見の狼狽しまくる様子を眺めた。

「お宅に知られてはよほど具合の悪いことがあるようですなあ。えーと、居候と言われたが、この住所地——北区西ヶ原——というのは浅見さんの自宅ではないのですか？」

「いえ、自宅です。つまり、そこで生まれ、かつ育ったところです」

「だったら、居候ということはないのではありませんか？」

「はあ、しかし、現在はすでに兄の代になっているもんで、心情的には居候同然の、肩身の狭い想いをしているわけで……」

「なるほど、それで、警察の厄介になっているなどということが分かっては、具合が悪いわけですか。だったら、なおのこと、正直に事実関係を話してしまったほうが、面倒がなくていいのではありませんか？　やったことをやったと、ありのまま言ってくれれば、警察だってご家族に迷惑を及ぼすようなことはしませんがねえ」

「ええ、ですから、何もかも正直に言うと言っているのです」

「結構ですな。それじゃ、あらためて訊きますが、脅迫の事実はあったのですね？」

「そんなものはないと言ったでしょう」

上松は「チッチッ」と口を鳴らした。

「仕方がありませんな、あなたが話してくれないのなら、やはり周辺から事実関係を固めてゆくしかない。一応、ご家族の状況を聞いておきましょうか。えーと、現在の戸主はお兄さんということですか？」

「はあ、まあそうです」

「氏名および年齢を聞かせてください」

「陽一郎、四十七歳です」

「職業は？」

「サラリーマンです」

「会社にお勤めですか？」

「いえ」

「というと？」

「まあ、その、公務員です」

「ああ、お役所にお勤めですか。どちらの役所ですか？」

「えーと、あれは千代田区のほうだと思いましたが」

「千代田区役所ですか？」

「いや、そうではありませんが」

「つまり、千代田区にある役所ということですか？」

上松の顔に、ようやく焦《じ》れが見えた。

「はっきり言ってくれませんかねえ。役所といってもいろいろあるでしょう。何の役所に勤めているのです？」

「警察です」

「は？　もっと大きな声で願いますよ」

「警察です」

浅見はやけっぱちで、悲鳴のような声を出した。

「警察？……」

上松はギョッとして、山田を振り返った。（きみは知っていたのか？――）という意思表示である。山田は目を丸くして（ぜんぜん――）と、大きくかぶりを振った。

「それじゃあ、われわれと同業ですか。まずいじゃないですか、警察関係の身内の人が、そういうことをしてくれては」

「いや、この問題は兄とは関係ありませんし、第一、僕はですね……」

「まあいいでしょう、兄さんが警察の人間だからといって、情実が通るなどとは思わないでくださいよ。それで、千代田区のほうというと、本庁――警視庁勤務ですか？」

「いえ、警視庁ではありません」

「丸の内署ですか？」

「いえ」

「どうも、はっきりしませんなあ。どこの署なのです？」

「まさか、兄さんに刺激されて、刑事の真似事をしたなんてことはないでしょうな」

「それはまあ、多少はあるかもしれません」

「じゃあ、兄さんは刑事ですか？」

「いえ、いわゆる刑事というのとは、少し違うのではないでしょうか」

「階級は何です？」

「さあ、あれは階級があるのかどうか……」

「警察の人間なら、誰だって階級があるに決まってますよ。自分だって、ふだんは私服だが、ちゃんと制服も階級章もあるのです。巡査から始まって、巡査長、巡査部長、警部補、警部、警視と……そのどれですか？」

「階級章なんてあったかなあ？　いわゆる警察官ではなく、事務職のほうですから」

「ああ、それじゃ、警察関係といっても、警察庁のほうじゃないのかな？」

「そうそう、そうです、警察庁に勤めているのです」

警視庁は東京都の治安を維持する組織で、東京二十三区および多摩地区の警察署を管轄するが、警察庁は国全体の警察組織の中枢である。

「そうすると、国家公務員ですか……」

上松はつまらなそうな顔になった。

「それにしたって、役職に応じて、一応、われわれ同様、階級の目安みたいなのはありますがね。お兄さんは何をしている人なのですか？」

「刑事関係だと聞いています」

「刑事課ですか。それだったら、われわれ現場の刑事を管理しているセクションじゃないですか。そこの何をしているのかな？　えーと、いま四十七歳でしたか。だとすると係長ぐらいかな。係長でも、警察の階級でいうと、たぶん警視ぐらいに当たるはずだが……もっと上ですか？」

「はあ、もう少し上かと……」

「ふーん……じゃあ、課長さん？　それだと警視正、うちの署長と同じですが」

上松はだんだん憂鬱になってきたらしい。

「もう少し……」と、浅見のほうも憂鬱な声を出した。

「それより上だと、部長さん？……」

浅見は黙って、オズオズと、人差指を天井に向けた。

「まさか……浅見刑事局長……」

上松警部補は、搾り出すように言って、天を仰いだ。

3

新年最初の『谷根千界談』が無事刷り上がり、近隣一帯の書店への配布も完了した。

次号は四月刊行である。編集会議を明日開くのを皮切りに、取材やら原稿書きやらで、のんびりしているほどの余裕はないけれど、ひとまずはほっと気抜けて、今夜は打ち上げの飲み会と決まっている。

しかし、繭美は少しも気持ちが晴れなかった。

いや、むしろ、仕事にかまけているあいだは、ややこしいことを忘れていられるけれど、手が空いたとたんに、冬休みの宿題が残っているのを思い出したように、重苦しい気分に閉ざされてしまった。

三崎坂の菊見せんべいの前でみんなと別れて、繭美は独り、蘭歩亭に寄り道した。

「やあ、しばらく来なかったじゃないの」

マスターは上機嫌であった。

「ええ、きょうまでかかりっきりだったものだから。これ、新しいの出来ました。よろしくお願いします」

藺美は『谷根千界談』をカウンターの脇に積み上げた。前の回のも残っているけれど、それを欲しがる客があるので、しばらくはそのままにしておく。

「よくやるねえ、このごろのはますます充実してるじゃないの」

「ありがとう。マスターにそう言ってもらえると、嬉《うれ》しいわ」

マスターはコーヒーを出しながら、「さっき、やつが来たよ」と言った。

「やつって？」

「ほら、変な探偵さんよ」

「ああ、浅見っていう、あの人」

「そう、藺美ちゃんも、だいぶ頭にきてたみたいじゃない。時計屋のケンちゃんに聞いたけどさ。このあいだ、天米で一緒になったんだって？」

「ああ、やだなあ、蜂谷さん、マスターに話したんですか」

「うん、元気印の藺美ちゃんが、珍しく、ひどく落ち込んでいたとか言ってたよ」

「そうでもないんですよ」

「だけど、ミネさん——おやじさんのこと、気にしてたそうじゃないの。ずいぶん深刻に悩んでいたって、ケンちゃんも心配して、どうしたらいいってね」

「どうしたらいいって、そんなの、マスターに相談したって、どうしようもないのに」

「いや、そんなことはないさ。困ったり悩んだりしたときは、相身互《あいみたが》いだからね。それがこの町のいいところじゃないの。余所《よそ》から来て、平和を脅かす者に対しては、一致団結して戦わなきゃいけない」

「戦うなんて、そんな大袈裟な……」

藺美はかすかに笑ってみせた。

「いや、冗談で言ってるわけじゃないんだよ。こんなちっちゃな町で、ちっちゃな店なんかで、みんなチマチマやってるんだもの、外から大資本なんかがやってきて、ブルドーザーでガーッなんてやられたらイチコロじゃないの」

「それはそうだけど」

「江戸時代からズーッと、この町はみんなが肩を寄せあって、助けあって、それでなんとかやってきたんだよ」

「ほんと、そうみたいですね」

「そういうのって、藺美ちゃんも好きなんだろ？」

「ええ、大好きですよ。だから谷根千マガジンをやっているんだし、上野駅にだって反対しているんだから」

「ほらみなさい」

「だけど、戦うなんて……そういえば、蜂谷さんも言ってたわね、戦後、上野駅の浮浪者と戦争したって」

「えっ？　ケンちゃんはそんなことまで話したのかい？」

「ううん、そうじゃないけど、テープで聞いたんですよ。懇談会のときの」

「ああ、そうか、あれね」

マスターは苦笑した。

「ケンちゃんはすぐ、古い話を持ち出すからなあ。あんな目茶苦茶な時代のことは話すなって言ってるんだけどね」

「それで」と、繭美は訊いた。

「どうしたんですか、あの人。何しに来たんですか？」

「うん、それがね、どうやら下谷署の刑事と落ち合う約束になっていたらしいんだな」

「刑事と？」

「そう、山田っていうベテランの部長刑事なんだけど、前にも一度、ここで会っていたことがある。きょうは最初、あの男が独りで来て、刑事のこと訊いていた。だから私は、言ってやったんだよ」

「言ったって、何て？」

「いや、要するに、探偵ゴッコなんかで、この谷中の町を引っ掻き回すようなことはやめてくれってね」

「探偵ゴッコだなんて……そんなこと言ったら、あの人、怒ったんじゃないかしら？」

「ああ、怒ったみたいだね。刑事まで巻き込んでるくらいだから、本人としてはゴッコなんかではなかったにちがいない。だけど、それならなおのこと、こっちは迷惑だよね。繭美ちゃんだって、迷惑してたそうじゃないのさ。おやじさんのことで、いやなこと言われたとか」

「ええ、まあ、それはそうだけど……じゃあ、そう言われて、彼、怒って帰っちゃったのね」

「いや、警察に連行されたよ」

「えっ、逮捕されたの？」

「ははは、まさか、逮捕ってわけじゃないけど、下谷署の捜査係長と刑事が来て、連れて行った」

「彼がここに来てること、マスターがサシたの？」

「そうじゃないさ、私はきょう、やっこさんが来ることを知らなかったからね。しかし、さっき言ったように、下谷署の部長刑事が、以前、うちの店でやっこさんと落ち合って、何やらよからぬ相談らしきことをしていたのを、捜査係長に教えておいてやったのさ。たぶん、係長は山田さんを問い詰めて、聞き出したんだろう」

「それで、どうなるのかしら?」

「さあねえ、豚箱にぶち込まれることはないんじゃないかな。せいぜい、背後関係の有無だとか恐喝の意思の有無を調べて、何もなければ帰してもらえると思うけど。ただし、無罪放免は夜中だね、きっと」

「かわいそう……」

「かわいそうなものか、人の店に来て、この店のお客の中に殺人犯がいるかもしれねえなんて、とんでもねえよ」

「でも、ほんとにいないって保証はないんじゃない?」

「おいおい、やめてくれよ、繭美ちゃんまでがさあ」

「だけど……」

「しょうがないなあ……」

マスターは慨嘆した。

「それじゃ、やっぱり、おやじさんのこと、疑ってるって、それ、ほんとなの?」

繭美は答える代わりに、肩を落として、大きく溜め息をついた。

「つまらないこと考えるんじゃないよ。私がはっきり保証しとくけど、繭美ちゃんのおやじさんは、そんなことのできる人じゃないからね」

「あら、同じだわ……」

繭美は思わず呟《つぶや》いた。

「同じって、何がさ？」

「ううん、同じこと言ってたから……あの浅見っていう、あの人も父のことで、同じようなことを言っていたんです。私が、父のこと疑っているんでしょうって、問い詰めたら、そんなことは一度も言った覚えはないって。そういう言い方だから、否定しているっていうわけじゃないのだけれど、ニュアンスが何となく、犯人じゃないって、そんなふうに聞こえたんですよね」

「ふーん……」

マスターは不思議そうに眉をひそめた。

「どうしてかな？　もう、そんなにいろいろ調べたのだろうか？」

「まさか……ただ一度、ほら、あの日の帰りにうちの店に寄って、父と話したくらいですよ。でも、そのとき、例の自殺した人の写真を父に見せて、父がろくすっぽ見もしないで『見たことがない』って言ったのを、あとで、『老眼鏡も使わないで、よく分かりますね』なんて、皮肉を言ってたから、疑っていたことは確かだと思ったんだけど……」

藺美はそのときの浅見の態度と、疑惑を否定するようなことを言ったときとのギャップが理解できずにいた。

「そう……」

マスターは流し台に手をついて、考え込んだ。しばらくそうして、二人はそれぞれの想いに耽《ふけ》った。

「彼は案外、いい人間かもしれないな」

マスターはポツリと言った。

「じつはね、さっき、警察が連れに来る前、あの男といろいろ話をしていたのだけど、他人の町に来て、余計なことをするなって言ってやったの。あんたは正義のためにやっているつもりかもしれないが、みんなが迷惑しているんだからってね。そしたら、ものすごく怒ってね、こいつは殴られるかな――って思ったら、こんどは急に悲しそうな顔をして、涙ぐんじゃってさ……」

「泣いたの？」

「ああ、声は出さなかったけど、ほんとに悲しそうだったなあ。いや、寂しそうだったって言ったほうがいいのかな。それで、こっちもね、すっかり慌てちゃって、ペラペラと昔の、ほら、さっきケンちゃんが話したって言っていた、上野駅の浮浪児との戦争の話なんかしちゃってさ……」

マスターは照れたように俯《うつむ》いた。

「どうして？　なんでそんな話、したりしちゃったの？」

「さあねえ、どうしてかなあ？……いま考えると不思議だけど、そのときはね、何となく誘い出されるような妙な気分でさ。彼にはそういう、何ていうのか、人徳みたいなものがあるのかもしれないな」

マスターはドアのガラス越しに、遠くを見る目になった。

4

峰雄は一人で店番をしていた。バイトの女性は、正月休みを取ったきり、まだ現れないのだそうだ。

「ひょっとすると、このまんま辞めちまうつもりかな」

心細い声で言った。

「父さん一人でやっていけるの？」

「それは無理だよ」

「じゃあ、また募集しなきゃ」

「募集しても、来ないからなあ。繭美が戻ってきてくれれば、いちばんいいんだが、出版社の社長さんにそんなことは頼めないし」

「いやみなこと言わないでよ」

父と娘は、空疎に笑った。

「もう店、閉めるかな」

峰雄は時計を見た。

「だめよ、まだ日暮れまでは間があるじゃないの」

「なに、構いやしないさ、どうせ大した客はないだろうし」

言い訳をしながら表に出て、シャッターを半ばまで下ろした。

繭美は父親のためにお茶を入れた。

「そういえば、あの男、どうしてる?」

峰雄は訊いた。もちろん浅見のことに決まっているのだが、繭美は一応、「あの男って?」と問い返した。

「ほら、このあいだの夕方時分に来た、ルポライターだとかいう男さ。彼と付き合っているのかい?」

「ばかねえ、付き合ってるなんて、まるでボーイフレンドか何かみたいな言い方しないでちょうだいよ」

「だって、恋人じゃないのか」

「当たり前でしょう。ただの知り合い……ううん、知り合い以下の存在よ、あんなやつ」

「ふーん、やけに怒っているな。何かあったのかい?」

「何もありゃしないけど、失礼しちゃうんだもの」

「なんだ、じゃあ何かあったってことじゃないか。ふられたのか?」

「冗談でしょう、そういうことじゃなくて、いろいろあるのよ」

「よさそうな男だったのになあ……ま、いいか。それよか、あの男、谷中霊園の自殺事件のことを調べていたけど、どうしたのかと思ってさ」

繭美はなるべく避けて通るつもりだったのに、父親のほうからその話を持ち出されるとは思っていなかった。

「あの自殺男は蘭歩亭に来たはずだのに、誰かが嘘をついているって言ってたじゃないか。誰が何のために嘘をついたのか……それ、その後、どうなったのかな?」

「知らないけど……」

ようやく答えたものの、繭美は胸が締めつけられるような気持ちだった。心臓の鼓動が父親に聞こえはしまいかと、そのことも不安だった。

「あいつ、変なこと言ったのよ」

繭美は溜めていた息を吐き出すのと一緒に、言った。

「変なこと？」

「うん、父さんがね、老眼鏡もかけずに、よく顔が識別できたなって。ほら、写真、見せたでしょう、あのときのことをね、そう言っていたの」

「ほう……」

峰雄は脇を向いた。

「そんなことがあったかなあ……」

「あったわよ、父さん、たしかに写真を手にして、すぐに、見たことないって言ったわ。私は気がつかなかったけど、あの人、ちゃんと見ていたのね。ショックだったわ、それ聞いたとき。そういえば、たしかにおかしなことだもの。父さんたら、まるで、人物の顔なんか見なくても、写真そのものを知っていたとしか思えない反応だったし、なんだか、触るのも汚《けが》らわしいみたいに写真を突っ返したし……ほんとのところ、父さん、知っていたんじゃないの？　あの写真」

藺美は憑《つ》かれたように、一気に喋った。喋っているあいだ、じっと父親の横顔から視線を外さなかった。

「そうか、そんなことを言っていたか」

峰雄は力なく言った。娘の目を見返そうとはしなかった。

「なかなか、鋭いもんだ」

「じゃあ、父さん、認めるってこと？」

「認めるって、何をさ？」

不安そうな目を、チラッと藺美に向けた。

「だからァ、その写真に見憶えがあったっていうことよ。それに……」

藺美は言葉に詰まった。その次の言葉が、彼女の唇からこぼれた瞬間、取返しのつかない悲劇が始まりそうな予感がした。

「たしかに」と峰雄は藺美の言葉を先取りするように、言った。

「いまだから言うが、あの写真は、前に見たことがあったよ」

「ほんとなの、それ？　いつ、どこで？」

「それは……忘れたな」

「嘘、忘れるわけないじゃない。そんなに昔のことでもないのに」

「そんなこと言ったって、忘れたものは忘れたのだから、仕方ないさ」

「ほんとは知っているんでしょう？　蘭歩亭で見たんでしょ？　マスターに留守番を頼まれたときに。ね、そうなんでしょ？」

藹美は畳み掛けるように言った。

峰雄は藹美がこれまでに見たこともないような、冷ややかな目を娘に向けた。

「忘れたのだよ」

「それ以上は言うな、私だって怒ることがあるよ」

「怒ってよ、怒って、私を殴り倒すくらいの勢いで否定して欲しいわ。いやなのよ、こんな中途半端な気持ちで、いつまでもいるなんて。どっちかはっきりして欲しいのよ、やったのか、やらなかったのか」

「やったって、何のことを言っているんだい？」

「だから、あの谷中の墓地で自殺したっていうの、あれ、ほんとは殺したんじゃないのかっていうこと」

「ばか！……」

峰雄は立ち上がった。そうして、娘との距離を遠ざけないと、本当に殴りそうな気がしたにちがいない。

「親に向かって、何てことを……」

「親だから不安なんじゃない。関係のない人だったら、何をやってもいいわよ。ううん、父さんがやったんだっていいのよ。私だって父さんの娘なんだから、守ってあげたいじゃない。だけど、本当のことは知っておきたいわ。ほんとはどうなのか……ねえ、買収、されたんじゃないの？」

「買収？……」

思いがけない言葉を聞いた——という驚きが、峰雄の顔いっぱいに浮かんだ。

「そうよ、買収よ。上野駅ビル計画を促進してくれって、頼まれたんじゃないの？　そのためにお金、貰ったんじゃないの？」

いまにも拳骨《げんこつ》が飛んでくることを予想しながら、繭美は激しく口走った。

だが、峰雄は何もしなかった。娘の顔を見つめたまま、そのくせ、焦点の定まらない目をしている。その目は、自分の記憶の中をまさぐって、何かを模索するように、落ち着きなく動いていた。

長く沈黙の時が流れた。

ふと、峰雄の目に光が戻った。しかし、表情はむしろ辛そうに見えた。

「おまえがいろいろ心配する気持ちはよく分かる」

峰雄は穏やかな口調で言った。

「だがね、私に関して、決定的な誤解をしているのだよ」

「誤解？」

「ああ、そうだ。私が上野駅ビルの計画について、買収されることなど、絶対にありえないのだよ。なぜかというと、私は元々、その計画には大賛成なのだからな。そのことは、この町に住んでいる人間としては、タブーみたいなものだけど、それとなく、折にふれて言っていたことじゃないか」

「どうして？　どうして賛成なの？」

「私はね、あの上野駅が嫌いなんだよ」

「嫌い？」

「ああ、嫌いだ。というより、おぞましいと言ったほうがいいかもしれない。上野駅を見るたびに寒気に襲われる」

「ほんとなの？　それ？」

「ああ、本当だ。あの暗い壁の色だとか、地下道に立ち込める臭い……あれは焦土《しょうど》の臭いだよ。死の臭いだよ。上野駅に入って、あの臭いを嗅《か》ぐたびに、私はいつも震え上がるんだよ。地下道に蠢《うごめ》く浮浪者の、幽霊みたいな姿が見えてくる。壁の中には焼夷弾《しょういだん》で死んだ人が埋めこまれているような幻覚を感じるのだよ。まるで、エドガー・アラン・ポーの『黒猫』や『アッシャー家の崩壊』の世界のようなおぞましい気配だな。それを半世紀近くも我慢してきた。なぜ早く改築しないのか——と思いながらね。その私が、駅ビル計画に賛成しないわけがないじゃないか。買収されるどころか、むしろ、こっちから金を出して、頼みたいくらいなものだ」

語り終えると、峰雄は大きく溜め息をつき、全身の力が抜けてしまったように、おぼつかない足取りで、繭美の前を離れ、奥の部屋へ向かった。

「父さん……」

繭美は声をかけた。

「もう帰りな」

峰雄はドアのノブに手をかけたところで、後ろ向きのまま、言葉を投げて寄越した。

「ごめん、父さん」

「ん?……」

峰雄は立ち止まり、振り返った。キョトンとした目をしていた。

「ごめん、ひどいこと言っちゃったみたい。だめなのよ、混乱しちゃって、抑制がきかなくて。ヒステリーなのかな」

「ははは、繭美も女だったっていうことかな。いいから、気にしないで帰りな」

優しい目で、「風邪ひくなよ」と言った。繭美はふいに涙があふれてきた。

この日を境に、何かが動いた――と繭美は思った。万事が平凡で、古色蒼然《こしょくそうぜん》としたような谷中の町の中で、何かが変化しようとしている。

毎日が同じことの繰り返しのような、単調なリズムを刻む町であっても、時々刻々、どこかで何かが、微妙に移り変わってゆくものである。ずうっと動かないままの風景が、ある日、カチッと音をたてたように、見たことのない側面を現すこともある。

風景は変わっていないように見える。三崎坂のたたずまいも、よみせ通りの賑わいも、谷中銀座の雑駁《ざっぱく》さも、魚屋の嗄《しわが》れた呼び声も、おでんを煮るしめっぽい匂いも、菊見せんべいの店先の赤い毛氈《もうせん》を敷いた腰掛けも、みんな昨日をそのまま今日に持ち越したような、何の変哲もない風景であった。

だのに、繭美は何かが動いたことを感じた。地球の軸がかすかにずれたような、目に見えない、それでいて着実な変化が、不安な気配と一緒に谷中の町に吹き込んできた。

一月最後の日曜日の朝、繭美は千駄木の谷根千マガジンを出て、父親のいる自宅へ向かう途中、蘭歩亭に寄った。

休日の蘭歩亭はけっこう、忙しい。近所に下宿している芸大の学生や、朝早くからこの界隈を散策する人びとが、ふらりと立ち寄って、のんびり音楽を聴いている。

そういう風景は十年一日のごとく見慣れたものであった。コーヒーの香りもいつもどおりだし、マスターもいつもと変わらない笑顔を見せて、この世はこともなし――といった平穏な雰囲気が漂っていた。

しかし、繭美はマスターの笑顔の裏側にある、かすかな憂鬱を嗅ぎとった。

(何なのかしら?――)

妙に落ち着かなくコーヒーを飲んで、蘭歩亭を出て、谷中の町を歩きながら、繭美は得体の知れぬ不吉な予感に脅えた。

その不吉さの正体は、蜂谷時計店の前を通りかかったとき、ヒョッコリ顔を覗かせた。

「繭美ちゃん」

蜂谷夫人がガラス戸を開けて、手招きをしながら、呼んだ。

「ちょっと、寄ってくれない」

「あ、ちょうどよかったわ、お寄りしようと思っていたところなんです」

繭美は陽気に答えて、店に入った。実際、『谷根千界談』の次号に掲載する広告について、打合せをしておく必要があった。

しかし、夫人は広告どころではなかった。繭美に見せる笑顔は、下手な蠟《ろう》人形のように引きつっていた。

「おかしなことになってるの」

店のいちばん奥に連れ込んで、声をひそめて言った。

「おかしなこと？」

「そうなの、主人のことなんだけど……」

「おじさんのこと？」

繭美は奥を窺《うかが》って「いま、お留守？」と訊いた。夫人は黙って、コックリと頷いた。

「おじさんがどうかしたんですか？」

「ええ、そうなの。このこと、どうしようかと思って……誰に相談すればいいのか、困っていたんだけど、繭美ちゃんの顔をみたとたん、繭美ちゃんしかいないと思って……ねえ、頼りにしてもいいわよね？」

「えっ？　ええ、そりゃいいですけど……だけど、何のことか分からないけど、私なんかより、蘭歩亭のマスターやうちの父のほうが頼りになるんじゃないですか？」

「うん、そうも思ったけど、でもね、男同士の仲間はだめだと思ったの。きっと隠しだてしたりして……」

「隠すって、何のことなんですか？」

「あのね……その前に、これ、秘密にしてくれるでしょう？」

「ええ、私は口が固いほうだから、それは約束できるけど、いったい何なんですか？」

「ごめんね、繭美ちゃんにへんな話をして。でも、ほんとに困って、心配で、夜もろくすっぽ眠れないのよ」

蜂谷夫人は泣きそうな顔をしている。言うことにも取留めがない。繭美は焦れったい気持ちを堪えて、夫人がまともに話しだすのを待つことにした。

「うちの主人がね、一昨日《おととい》から帰ってこないの」

夫人は溜め息と一緒に言った。

「帰ってこないって、どこへいらしたんですか？」

「だから、それが分からないのよ。いままで、こんなことは一度だってなかったし、留守にするときは必ず出先から電話する人だったものだから、とっても心配なの。ふつうじゃないって……」

「ふつうじゃない……」

繭美は心臓をじかに摑まれたような、重苦しい痛みを感じた。

「あの、ふつうじゃないっていうと、何か事故に遭《あ》ったとか？……」

「やあねえ、そんな縁起でもないこと言わないでよ。そうじゃなくて、これ……」

夫人はすばやく、右手の小指を立ててみせた。

「違うわ!……」

藺美は手を横に振って、はげしいほどの口調で否定した。

「おじさん、そんなことしないわ」

「そう……かしらねえ……」

夫人は藺美の剣幕に驚いて、「だったらいいんだけれど」と、呟いた。

「そうですよ、おじさんにかぎって……それに、男の人って、そういうときには、もっと上手に立ち回って、ちゃんと家には帰ってくるし、連絡だってしてきますよ。そういうときのほうが危険なんですから」

「ふーん、藺美ちゃん、結婚もしていないのに、男の人のことなんか、よく分かるもんだわねえ」

「ああ、それはあれだわ、耳学問ていうのですよ。それに、小説なんかを読めば、だいたいのことは分かってきちゃうし。それよりおばさん、ほんとに変ですよ、これって」

「変て、どう変なの?　いやだわよ、まさか事故だなんてことないでしょう。もし交通事故なんかだったら、警察から連絡があるはずだもの。あの人は、いつも名刺だとか、そういうもの持って歩く人だし」

「もしかしたら、警察、届けたほうがいいんじゃないかしら」

「いやですよ、警察だなんて。嫌いだわ」

「そりゃ、警察が好きな人って、そんなにいないと思うけど。だけど、やっぱり届けたほうがいいと思いますよ」

「届けるって、どう届けるの？　行方不明だって？　いやだわ、みっともない」

「そんなこと言ってたら……それじゃ、やっぱり蘭歩亭のマスターか、うちの父に相談してみたらどうですか？」

「相談したって無駄だと思うけど……」

「とにかく、それとなく訊いてみます。何か知っているかもしれませんよ」

蜂谷夫人はまだ渋っていたが、繭美は時計店を出て自宅に向かった。

峰雄は今日も一人きりだった。バイトの後釜《あとがま》はまだ見つからないらしい。

蜂谷が行方不明になっていると話すと、峰雄は「そうか」とだけ言って、商品の並べかえを中断しようともしない。

「何なのよ、張り合いがないわねえ。ちゃんと聞こえたの？　蜂谷さんがいなくなっちゃったのよ」

「分かったよ、ちゃんと聞こえているよ。それで私にどうしろって言うんだ？」

「だからァ、相談に乗ってあげたらどうかって言ってるの」

「相談に乗って、何ができる？」

藺美は呆れた。父親がこんなにも素っ気ない態度を見せるとは思ってもみなかった。

「どうしたの？」

「どうって？　どうもしないよ」

商品を棚に入れて、振り向いた峰雄の目には、無関心が宿っていた。

「そう……」

藺美は思わず視線を逸《そ》らせ、「じゃあ」と言って店を出た。

ただごとではないと思った。谷中の町を歩いていて、漠然と抱いた不安のようなものの正体が、ふいに現れた――と思った。

そのとたん、蜂谷の身の上に降りかかった災厄《さいやく》が、現実のものであることを、ひしひしと感じた。

第六章　密室殺人

1

　浅見が思いがけなく、大林繭美から電話をもらったのは、教育テレビの将棋の時間が終わって、まもなく正午になろうかという頃のことであった。

「ちょっと気になることがあるのです」

　挨拶もそこそこに、繭美は沈んだ口調でそう言った。

「気になること？　まさか、また誰かが死にそうだなんていうのじゃないでしょうね？」

　浅見はわざと冗談めかして言ったが、内心では、本気で不安を感じていた。

「そうじゃないですけど……」

　繭美の口振りにも、なかば肯定したいような気配が感じ取れた。

「時計屋のおじさんが、行方不明になっているらしいんです」

「えっ、時計屋さんというと、蜂谷さんでしたっけ？」

「ええ、そうです。蜂谷さんが二日前ごろから家に帰っていないんです。あの人、遊び人みたいに見えるけど、何も連絡なしに家を二日もあけたことはないって、奥さんがひどく心配しているんです」

「警察には届けたのですか？」

「いいえ、まだです。町の人にもあまり知られたくないし、どうしようかって相談されたものですから……」

「それで僕に？」

「ええ、ほかに思いつかなかったもんで」

繭美は消え入るような声で言った。

浅見は精一杯、感激を表現して「ありがとう」と言った。

「分かりました、すぐに行きますよ。しかし、これはちょっとただごとではないかもしれませんね」

「浅見さんもそう思います？　私もそうなんです。蜂谷さんの奥さんは、ただの浮気じゃないか、みたいなこと言ってましたけど」

「いや、あなたの勘のほうが当たっていそうですよ。もちろん、単なる浮気の果ての行方不明ですめばいいけれど……いずれにしても警察には届けたほうがいい。そうだな、僕のほうから連絡しておきましょう。蜂谷さんの奥さんにも、そう言って、了解を取っておいてください」

「えっ、浅見さんから警察に、ですか？」

繭美は意外そうに言った。

「僕からでは、何か、具合の悪いことでもありますか？」

「いえ、そうじゃなくて……でも、浅見さんは警察に連行されたとか……」

「ああ、蘭歩亭のマスターから聞いたのですね。あははは、あれは警察の誤解だったのですよ。いまはもう、すっかり信用されているので、ご心配なく」

浅見は電話を切ると、そのまま受話器を握って、下谷署の上松警部補に連絡した。

浅見が谷中の蜂谷時計店に行くと、蜂谷夫人は不満そうな顔で、あまりいい挨拶もしなかった。繭美に「そんなに大事《おおごと》にしないでもらいたかったわ」などと言っている。

「それは違いますよ」

浅見は真顔で窘《たしな》めた。

「大林さんの処置が正しいのです。ご主人の生死に関わる、不測の事態が起きていると思われたほうがいいですよ」

「生死って……やだ、ほんとに?……」

夫人は肩をすぼめて、不安そうに繭美の顔を仰いだ。

まもなく、上松警部補が山田部長刑事を伴ってやって来た。

まず、上松が蜂谷夫人から事情聴取を行なった。最近の蜂谷に変わったところはなかったかどうかを中心に、訊いた。

「そういえば」と、夫人は失踪《しっそう》の数日前から、蜂谷が何となく物思いにふけりがちだったことを言った。

「何か話しかけても、聞いているのかいないのか、分からないような生《なま》返事をするし、もしかすると、別れ話でも持ち出す気じゃないかしらって、ほんとに、そう思ったくらいですよ」

夫人の妄想は、そういうところにも原因があったらしい。

そのあと、上松と山田は、夫人の案内で、蜂谷の身の回りの物の中に、何か手掛かりはないか、家宅捜索をした。浅見も繭美と一緒に、夫人に付き添いながら、捜索の様子を眺めていた。

蜂谷は几帳面《きちょうめん》な性格だったそうで、店の中もきちんと片づいているし、プライベートな場所も整頓《せいとん》されていた。

捜索の結果、店の事務机の中にあったメモ帳に「鶯谷ヴィラハウス」という名前が頻繁に書かれているものを発見した。

もっとも「鶯谷ヴィラハウス」というフルネームで書かれたのは最初だけで、あとは「ヴィラ」と略して書いてある。たとえば、「〇月〇日〇時　ヴィラ　和田氏」といった内容のメモである。

蜂谷夫人は「鶯谷ヴィラハウス」のことは何も聞いていないという。

「私に内緒で、こんなマンションの部屋に行ってたなんて。やっぱり女がいたんじゃないのかしら……」

またぞろ、あらぬ妄想が頭に浮かんできたらしい。ほかの者は全員がそれを無視した。

「和田という名前ですが、池之端で殺された被害者の名前と同じですね」

浅見が小声で言うと、上松は疫病神《やくびょうがみ》の囁《ささや》きを聞いたような、苦い顔をした。

「関連あり、ですかねえ？」

「ありのほうに賭けますよ」

浅見は不謹慎なことを言って、上松に睨まれた。

二人の捜査官は、ただちに鶯谷ヴィラハウスへ向かった。浅見のソアラも彼らの車に追随した。大林繭美には、しばらくのあいだ、蜂谷夫人のそばに残ってもらうよう、頼むことにした。

鶯谷駅の周辺、線路沿いの一角にはラブホテルが並んでいる。その街区のもっとも日暮里寄りに建つ賃貸マンションが鶯谷ヴィラハウスであった。ものものしい名前ほどには、あまり高級な建物には思えなかった。

マンション管理人に蜂谷と和田の写真を見せると、管理人は、はっきりしたことは言えないけれど、と前置きした上で、たぶん、ときどき来ていたと思うと言った。

「居住者ではありませんけどね。たしか、七階に上がっていました」

管理人が「七階に」と言ったのは、蜂谷がエレベーターに乗ったとき、何の気なしに、何階に行くのか、エレベーターの階数表示を眺めていたためである。ただし、二人が一緒に来たのを見たこともないし、和田のほうはどこへ行ったのか、知らないそうだ。

「しょっちゅう来ていましたか？」

浅見が訊くと、管理人は首を振った。

「いや、私はいつもここで見張っているわけじゃないですから、しょっちゅうかどうかまでは分かりません」

和田が、鶯谷ヴィラハウスの居住者ではないとすると、蜂谷と和田は七階のどこかの部屋で、落ち合っていたのかもしれない。

管理人に案内してもらって、七階の居住者を対象に聞き込みをしたところ、七〇四号室に、それらしい人物が入ってゆくのを見たという証言があった。

七〇四号室の住人は「松本正」という名前になっているのだが、実際に居住しているような気配はないという。

「たぶん、事務所として使用されているのだと思います。そういう使い方をしている部屋がかなりありますので」

管理人はそう説明した。

七〇四号室はやはり留守で、部屋のドアはロックされていた。

「どうしますかね？」

上松は浅見の意見を求めた。

「もちろん、中に入りましょう」

「しかし、捜索令状があるわけでもないですからなあ」

上松は管理人を振り返って、言った。管理人も唇を尖《とが》らせ、首を振って、「だめですよ」と言った。

「住人の方の許可なしに、お部屋に入ってもらうわけにはいきませんよ」

「中で人が死んでいてもですか？」

浅見は冷淡な口調で言った。

「えっ、人が死んでるって、それ、ほんとですか？」

「たぶん間違いありません。早く出さないと、腐敗してしまいますよ」

「ふ・は・い……」

管理人は震え上がって、すぐにマスターキーを取りに行った。その後ろ姿に向かって、浅見は「古新聞を何枚か持ってきてください」と頼んだ。

「浅見さん、この件については、ひとつ、あなたが証人になってくださいよ」

上松警部補は釘を刺した。後刻、職権濫用だとか、住居不法侵入などという問題になるのを警戒している。刑事局長の弟が証人なら——という考えだ。

「もちろんです」

浅見は大きく頷いてみせた。

ドアが開くと、上松と浅見だけが中に入り、山田は廊下のドアの前で張り番をした。

浅見と上松は、古新聞を床に敷いて、足跡等の痕跡を消さないように注意しながら進んだ。

「まったく、浅見さんは、駆け出しの刑事よりもソツがありませんなあ」

上松は、本音半分、お世辞半分に感心していた。

ドアを入ったときから、気のせいか、室内の空気にかすかに死臭らしきものが漂っているのを感じていた。

七〇四号室は、いわゆるワンルームである。入ったところに、玄関ともいえないほどちっぽけなスペースがあって、男物の靴が一足、脱いであった。

玄関の正面はガラス戸で、カーテンの隙間《すきま》からベランダと、その向こうにあるＪＲの線路が見えている。

玄関を入ってすぐの右手には、ユニットタイプのバス・トイレがある。

その二メートルほど先から、右手のほうに鉤形《かぎがた》に、十六畳分くらいのメインスペースが広がっている。奥にはキッチンの設備もある。いわばダイニングルームといった感じの部屋で、ふつうは、そこが居間兼応接間兼寝室として使われるものらしい。しかし、この部屋はひどく殺風景で、簡単な応接四点セットと、わずかばかりの食器を収めた戸棚しか置いてなかった。

その応接セットのソファーとテーブルとのあいだの床に、うつ伏せに倒れた男の死体があった。

それが蜂谷健太であった。浅見も上松も、死体を見てもさほど意外には感じない状況であった。

「死後、かなり経過していますね。丸二日というところですか」

上松は死体を覗き込むようにして、言った。浅見は臆病で、死体とのご対面は苦手だから、なるべく遠くから見て、その代わりに、ベランダに出るガラス戸をチェックした。そのガラス戸も完全にロックされていた。

浅見はドアのところに戻って、管理人に、最近、マスターキーを使った人間がいないかどうか、訊いた。

「いいえ、おりませんが」

管理人は不安そうに答えて、「あの、やっぱり人が死んでいたのですか？」と訊いた。

「ええ、殺人事件ですよ。それも、どうやら密室殺人かもしれない」

「密室？……」

山田が目を剝《む》いた。

「いや、それはまだ分かりませんが、もしそうだったら、事件としては興味深いと思うのですけどね」

浅見はなんとなく嬉しそうに聞こえる口調になっていた。

「けど、このドアには鍵がかかっていても、ベランダから入れるでしょう」

管理人が面白くなさそうに言った。

「いや、ベランダの戸もロックされてましたよ」

「えっ、ほんとですか」

「ええ、だからね、もしかすると密室かもしれないのです」

「はあ……」

管理人は浮かぬ顔になった。密室に喜ぶのは、野次馬根性の素人探偵か、ミステリーファンぐらいなものかもしれない。

山田部長刑事も、あまり愉快でなさそうに言った。

「だけど浅見さん、誰かが鍵を使ったのだとすると、密室は成立しないことになるのじゃありませんか？」

「それはそうですが、しかし、犯人がそんなことをしますかね。鍵を使ったりすれば、その鍵の所有者が犯人であることを、自らバラすようなものじゃないですか。僕が犯人なら、ドアをロックして帰るような、間抜けなことはしませんよ」

「なるほど……」

山田は感心したが、室内にいる上松警部補からは、「あまり余計なことは喋らないでください」と文句が飛んできた。

それから、二人の捜査官は、本署に連絡するのと同時に、蜂谷夫人にも電話をかけて、身元確認のために急行してくれるよう、要請した。

いまや「未亡人」と名称が変わった蜂谷夫人は、大林繭美に付き添われて飛んできた。

「主人です」

夫人は死体をひと目見て、そう言って、喉《のど》に何かが詰まったように絶句した。それから、ふとわれに返ったように、狭い部屋をグルッと見回して、「ベッド、ないんですね」と呟いた。この期《ご》に及んでも、彼女の妄想は止《とど》まるところを知らないらしい。

「奥さん、この部屋の持ち主は男の人です。実際には事務所のように使われていたようですがね」

上松が夫人を安心させるように言った。とたんに、夫人は純粋な悲しみが湧《わ》いてきたらしい。蜂谷の胸にしがみついて、声を上げて泣き出した。

「あ、奥さん、だめだめ、離《は》れて」

上松が慌てて夫人を引き剝がした。

2

それからはお定まりの大騒ぎであった。パトカーや鑑識の車がどんどんやって来る。つられて報道関係の車も集まった。

蜂谷夫人と繭美は引き揚げたが、浅見は上松の依頼で「参考人」として現場に残り、鑑識の作業を見学したあとも、下谷署に行って捜査の進展を見守ることになった。

鑑識の作業が進むにつれて、さまざまなことが分かってきた。

死んだ蜂谷の所持品は、盗まれた物があるような形跡は見られなかった。現金入りの財布も高級外国時計も、いくぶんきざなルビー入りのネクタイピンも残っていた。

この部屋の鍵は所持していない。

死体の脇にある安物のテーブルの上に、コーヒーカップが二個、載っていた。中身は乾いて、底のほうに乾燥した茶色い粉末がこびりついていた。

カップの一つは明らかに蜂谷が飲んだものらしく、指紋とカップの縁に唇をつけた痕跡が残っていた。

もう一つのカップには指紋もなく、口をつけた形跡もないところから、犯行後、犯人はカップの指紋を拭き取って行ったものと考えられる。玄関ドアのノブも、明らかに指紋を拭き取ったらしく、蜂谷自身の指紋もまったく採取されなかった。

解剖の結果、蜂谷の死因は青酸性の毒物によるものであることが分かった。カップの残滓《ざんし》からも青酸性毒物が検出された。

以上の状況から、警察は、何者かがこの部屋で蜂谷と落ち合い、コーヒーの中に青酸性の毒物を混入、蜂谷を殺害したものと断定した。

蜂谷は死後、丸二日を経過していると見られた。これは家族が証言する「失踪」の日と一致するところから、おそらくその日のうちに殺害されたものと考えられた。

午後八時までには、以上の点についてでは明らかになっている。第一日目の捜査状況をほぼ見届けて、浅見がそろそろ引き揚げようかと考えだしたころを見計らって、上松警部補は浅見の意見を求めた。

「どうですか、名探偵としては、何か摑めましたか?」

「ええ、おおよそのところは、ですね。要するに、蜂谷さんはあの部屋で若岡商事の和田氏とひそかに会って、情報交換や資金の受け渡しをしていたのでしょう。部屋の住人は仮名を使っているのかもしれませんが、いずれにしても、若岡商事が関係していますよ。したがって、部屋の鍵はおそらく若岡商事にあると考えられます。これで密室の謎《なぞ》も解決しますね。あすにでも、若岡商事を訪ねてみたらいかがですか。もっとも、こんなことは隠しようのない事実なのですから、いずれ、先方から出頭してきそうなものですけどね」

この浅見の予言は、それからほんの三十分後には現実のものとなった。

浅見が帰宅したのとほぼ同じころ、下谷署の刑事課を一人の男が訪れた。

「内々に課長さんにお話ししたいことがあります」

男がそう言って差し出した名刺には、「若岡商事株式会社　調査部主査　前野《まえの》隆《たかし》」とあった。

痩《や》せ型の目つきの鋭い男だが、脅えきっているように、背中をかがめて、上目遣いにものを言った。

刑事課長の高島《たかしま》警部が会うと、「じつは、鶯谷のマンションで起きた殺人事件のことについてですが」と、消え入るような声で言い出した。

高島課長は、すぐに上松警部補を呼んで、事情聴取をするよう命じた。

取調室に入ると、前野は捜査員を前にして、いっそう小さく背を丸めた。

「それで、お話というのは？」

上松が突慳貪《つっけんどん》に言った。

「じつは、きょうの夕方のニュースで、鶯谷ヴィラハウスの事件のことを知ったのですが、その、何と言いますか……」

前野はしどろもどろに、言い淀《よど》んだ。

「あの部屋を借りていたのは、おたくさんの会社なのですか？」

上松は焦《じ》れて、いっそう強い口調になった。

「え、ええ、そうなのです。それでですね、じつは、二日前のことなのですが、私はあのマンションに参りまして、その、あの部屋にですね、入ったのです」

「ほう……」

上松は浅見の「予言」が的中したことに驚いた。

「ちょっと待ってくださいよ」

すぐに部下を呼んで、調書の作成を命じることにした。

前野隆の供述をまとめると、おおよそ次のようなものであった。

——鶯谷ヴィラハウスの七〇四号室は若岡商事が、上野駅新ビル計画推進のために内々に借りていたものである。若岡商事の和田史男は、この部屋を拠点として上野周辺の住民に対する説得工作を行なった。和田は週に二度ほど、七〇四号室を利用していたらしい。ただし、工作の実務は和田に一任されており、ほかの社員はマンションに近づくことをしなかった。

去年の十一月、和田が殺害されるという事件が発生したあとも、マンションは継続して借用した。契約が四月までとなっていたことと、事件直後に動くことは得策でないと考えたからである。その後、今回の事件が発生するまで、鶯谷ヴィラハウス七〇四号室には誰も訪れていないのであった。

ところが、三日前、蜂谷健太から電話があって、和田の上司と会いたいと言ってきた。若岡商事の幹部も、蜂谷のことは和田からの報告で承知していた。新駅ビル計画推進の協力者として、和田の右腕になっているということであった。

そこで、蜂谷の指定に応じ、鷺谷ヴィラハウスの部屋に、調査部の前野が出かけて行くことになった。

前野が訪れたとき、鷺谷ヴィラハウス七〇四号室のドアはロックされていた。前野は用意してきた鍵を使って、ドアを開け、室内に入った。

そして上松と浅見が見たのと同じ状況の現場を目撃したのである。

前野が最初に考えたのは、自分が犯人と疑われることであった。

そこで、前野は、この部屋に自分が来たという痕跡を残さないように、ドアのノブなど、触れた個所の指紋を拭《ふ》き取り、部屋を脱出した。

社に戻って、上司に報告し、善後策を講じたが、うまい智恵が浮かばなかった。

じつは和田の事件があったときも、警察の事情聴取に対して、和田の「業務」内容については、かなりの部分を伏せておいたのだ。和田が上野駅の「工作」に従事していたなどということが発覚しては、ただでさえ神経過敏になっている地元住民の反発を買うことは必定《ひつじょう》であった。

しかも、若岡商事は熊江建設のダミーとして、熊江建設のダーティな面を一手に引き受けている事実がある。例の地下工事の手抜き事件なども、熊江建設には犯意はなく、すべて若岡商事の責任で行なわれたことになっているのだった。

幸か不幸か、七〇四号室の件に関しては、関係者以外には知られていなかった。前野ははっきりとは言わなかったが、若岡商事の幹部の中には、それをいいことに、蜂谷の死体を、人知れず、どこかに遺棄して、頬かむりを通してしまうべきだ——という意見を主張する者もあったらしい。

そうやって右顧左眄《うこさべん》するうちに、警察が死体を発見したというニュースが流れた。

こうなっては隠しておくわけにはいかない。七〇四号室を「松本正」名で借りたのが、じつは若岡商事であることなど、いずれは分かってしまうにちがいない。

こうして、やむなく、前野は警察に出頭してきたというのであった。

前野と若岡商事に対する警察の調べはかなり苛烈《かれつ》なものになった。死体発見後の処理の仕方が悪質であることで、警察の心証はきわめて悪かった。前野はほとんど容疑者扱いをされたといってもいい。

たしかに、前野が犯人である可能性は、現時点ではもっとも高いことも事実であった。もし、前野の自供がない白紙の状態で考えれば、前野以外に犯人はありえないような状況なのだ。

動機もある。蜂谷は和田からの工作資金が途絶したことで、若岡商事を恐喝していたかもしれない。若岡商事のあくどい切り崩し作戦を暴露する——などと脅した可能性も、充分、考えられる。若岡商事が、蜂谷を消してそういう脅威を抹殺したくなったとしても、不思議はない。

もちろん、前野はそういった疑惑は、すべて否定した。しかし、否定する根拠は薄弱としかいいようがなかった。現に、若岡商事は熊江建設のダミーとして、手抜き工事の手配や、賄賂《わいろ》による反対派の懐柔など、犯罪行為といっていいような、不正な策略を駆使していたのだ。

また、物理的な条件も整っていた。

まず、あの部屋の鍵のことがある。

部屋の鍵は、管理人のマスターキーを除けば、当初は二個あって、そのうちの一個は会社が、もう一個は和田が持っていた。

ところが、和田が殺されたとき、和田の所持品の中にはマンションの鍵はなかった。

じつは、そのことは若岡商事にとってはきわめて幸運に思えた。もしその鍵を和田が所持していたなら、鷺谷ヴィラハウス七〇四号室の存在が発覚し、蜂谷との繋《つな》がりや、ひいては裏工作の陰謀が発覚しかねないところだったからである。

前野が七〇四号室を訪れたとき、ドアがロックされていたことは間違いない事実だ——と前野は主張している。

もしそうだとすると、蜂谷が前野よりひと足先に来ていて、その時点では、ドアはロックされていなかったか、あるいは「真犯人」が鍵を持っていてドアを開け、蜂谷を室内に入れたことになる。

そして、犯人は蜂谷を殺害したあと、ドアをロックして立ち去ったというわけだ。

問題の鍵はいわゆる電子ロックとよばれるもので、複製がつくりにくいタイプだ。二個以外に合鍵が存在する可能性はほとんどありえなかった。

そうなると、「真犯人」はいったい何者で、どうして鍵を持っていたのかが大きな謎になる。

ところで、前野の供述をすべて信用しなければ、前野が言っていることとまったく逆のシナリオを想定することができる。

要するに、前野が訪れたとき、蜂谷は生きていたというものである。いや、前野のほうが先に七〇四号室に到着していて、蜂谷を迎え入れたと考えるほうが常識的だ。

そして、蜂谷の前に坐って、一緒にコーヒーを飲み、蜂谷の死を見届けたのは前野だったということになる。

指紋は拭き取ったものか、あるいは最初から指紋をつけないように注意して行動していたのかもしれない。

そして前野は部屋を出た。死体の処理は急がない。条件のいいときを見計らって、大きな荷物か何かのようにして、運び出すつもりだった。警察の手がこれほど早く、あのマンションに及ぶとは、想定していなかったにちがいない――。

これが逆のシナリオである。警察はむしろ、前野の供述よりも、こっちのシナリオのほうに魅力を感じた。

翌日の午後になって、浅見が下谷署を訪れたころには、捜査本部の面々は、いますぐにでも、前野に対する逮捕状を請求しかねない勢いであった。

「証拠湮滅《いんめつ》のおそれがありますからね」

上松警部補も確信ありげに、そう言っていた。

若岡商事の社員が重要参考人として警察の取り調べを受けていることは、どこから洩《も》れたものか、その日の夕刊で二社がスクープした。しかも、若岡商事がじつは、あの悪名高い熊江建設のダミー会社であることまでスッパ抜いていた。

「このぶんだと、上野駅ビル計画にも影響が出そうですなあ」

上松は複雑な面持ちで夕刊を眺めていた。

浅見はその足で谷中を訪ねた。蜂谷時計店はシャッターを下ろしていた。近所の人の話によれば、マスコミの攻勢がひどいので、蜂谷夫人はどこかに身を隠しているということであった。

浅見は谷根千マガジンを訪れた。

案の定、蜂谷夫人はそこに潜んでいた。すっかり憔悴《しょうすい》しきって、そのくせ、犯人に対する怒りはすさまじいものがある。マスコミの攻勢から逃れたというより、マスコミにあらぬことを口走らないよう、繭美など、周囲の人間によって隔離された感が強かった。

「蜂谷さんの死は無駄にしません」

繭美も意気込んでいた。

「これで、上野駅の改悪は、必ず阻止できますね。そうでしょう、浅見さん？」

夕刊の記事を指差して、言った。まるで、蜂谷は阻止運動の楯《たて》になったとでも言いたそうな口振りであった。

「さあ……果たしてそうなるかどうか、分かりませんよ」

浅見は当惑して、曖昧な微笑を浮かべて、言った。

「だって、若岡商事は人殺しですよ。それはつまり、駅ビル計画がゴリ押し以外の何物でもないことを証明してることだわ」

「若岡商事の犯行と決まったものでもありません」

「でも、社員のやったことは、会社の責任でしょう?」

「いや、彼が犯人である証拠は、まだありませんからね」

「そんな……」

藺美は浅見を睨んで、はげしく言った。

「浅見さんて、いったいどっちの味方なんですか?」

浅見は黙って、腕組みをした。本当は「正義の味方」と言いたかったのだが、蜂谷未亡人の顔を見ると、言えなくなった。

3

前野隆は容疑濃厚と見られ、証拠湮滅のおそれもあるとして、三日間、下谷署に留置されたが、結局、証拠不充分で釈放された。

その間に二度、浅見は下谷署を訪れて、上松警部補の相談を受けている。

上松としては、何とか前野の容疑を立証するような材料が欲しかったにちがいない。そうでもなければ、素人探偵の浅見になんか、相談をもちかけるはずがない。

しかし、浅見は上松の期待に沿うどころか、むしろ最初から前野シロ説を提唱していた。理由は、前述したように、七〇四号室のドアがロックされていたことにある。あのドアに鍵をかければ、唯一の鍵の所有者である若岡商事の人間が犯人であることを、自ら暴露するようなものだ——というのが、浅見の一貫した主張なのだ。

「浅見さんはそう言いますがね、前野としては、死体が発見されることを恐れたのじゃありませんか？　あるいは、逃げる際に慌てて、無意識に鍵をかけてしまったということだって考えられるでしょう」

上松は上松で、頑強に言い張った。それをあえて否定できる証拠が浅見の側にもあるわけではない。

「違うと思いますけどねえ……」

消極的に異議を唱えるしか、いい智恵は浮かばなかった。

しかし、浅見は頭のどこかに、事件の本質に関わる何かが引っ掛かっているのを、ずうっと感じてもいた。何か重要な事実を見ているはずなのに、それに気づいていないという、背中が痒《かゆ》くなるような、もどかしい気分である。

取調室の前の廊下を通るとき、中から上松や山田が前野を怒鳴りつけている声が聞こえてくる。それを聞くと、前野のためというより、警察のために、何とか智恵を働かせなきや——と、浅見は焦燥にかられた。

前野が釈放された翌日の新聞は、警察の無能と捜査の行き過ぎを書き立てた。浅見が下谷署の捜査本部に顔を出しても、上松も山田もニコリともしなかった。

「また一からやり直しですよ」

上松は吐き捨てるように言った。

「でしたら、もう一度、現場へ行ってみませんか」

浅見は誘った。

「行き詰まったら第一現場に戻れというのが鉄則だそうですが」

「ははは、そんな、駆け出しの刑事みたいなことができますか」

上松は笑ったが、山田は神妙な顔をして、「自分は付き合います」と言った。今度の一連の事件に関して、山田は浅見に負い目を感じているのだ。何しろ、せっかく、いい情報や助言を得ていながら、恩を仇《あだ》で返すようなことをして、浅見を連行するようなことまでしてしまったのだから。

浅見のソアラで、二人は鶯谷ヴィラハウスへ行った。管理人は浮かない顔で迎えた。

「あの、まだ何か捜索されるのですか?」

「いや、ちょっとあの部屋を見たいだけです。すみませんが、マスターキーを貸してくれませんか」

浅見は低姿勢で頼んだ。管理人は管理室からマスターキーを持ってくると、ブスッとした顔でエレベーターに向かった。

七〇四号室は事件当時のままに保存されていた。

「あの事件のあと、この階だけで二軒のお宅が出て行かれましたよ」

管理人は八つ当たりぎみのいやみを言いながら、ドアの鍵を開けた。

浅見は玄関に入って、最初にここに来たときの記憶を思い起こした。

正面にガラス戸があって、カーテンの隙間からベランダと、その向こうにＪＲの線路が見えている。

「あ、そうか……」

浅見は小さく叫んだ。

「どうかしましたか？」

ドアの脇から、山田が覗き込んだ。浅見は振り返り、山田の背後にいる管理人に声をかけた。

「管理人さん、あなたがこの部屋に入ったときには、ベランダのガラス戸は鍵がかかっていなかったのですよね？」

「ああ、そうですよ、鍵はかかって……」

言いかけて、管理人は「あっ」と口を抑えた。

「なんだって?……」

山田がギョロッと目を剝いて、管理人を睨んだ。

「あんた、この部屋に入ったのかね?」

「えっ、ええ、まあ……」

「まあじゃないだろうが、いつ入ったのかね?」

「それは……」

管理人はどう答えるべきか、大慌てに思い巡らせている。

「浅見さん、どういうことなんですか?」

管理人に詰問したものの、山田にも、この事態はよく飲み込めていない。浅見はニコニコしながら説明した。

「このあいだ、ここに来て死体を発見した直後に、管理人さんが言ったことを思い出したのですよ。あのとき、密室かどうかという話をした際、管理人さんは、たしかこう言ったのです。『このドアに鍵がかかっていても、ベランダから入れるでしょう』とね。そして、ベランダの戸がロックされていたと聞いて、怪訝《けげん》そうな顔をしました。そのときはあまり気にしなかったのですが、実際には、管理人さんはベランダの戸に鍵がかかっていないことを知っていたのじゃないか——と、いま気がつきました。だとすると、いったい管理人さんは、いつこの部屋に入ったのか、これはきわめて興味ある問題です」

浅見の笑顔とは対照的に、山田は恐ろしい刑事の顔になって、太い人差指を管理人の眉間《みけん》に突きつけた。

「まさか、あんた、蜂谷さんを殺《や》ったのは、あんたじゃないのだろうね？」

「じょ、冗談じゃありませんよ」

管理人は震え上がって、両手を顔の前で左右に振った。

「私がこの部屋に入ったのは、刑事さんたちが来たあの日より五日も前のことです。事件があったのは、二日前だそうですから、その三日も前ですよ。私は何も知りません」

「ふーん、それはそうとして、それじゃ訊くが、いったいあんた、他人の部屋に何をしに入ったんだい？」

「それは、あれです、つまり、防犯上の理由からです」

「防犯上の理由？　無断で他人の住居に入ることが、どうして防犯上の理由になるというのかね？」

「いいじゃないですか。マンション管理の決まりとして、必要があれば、点検のために部屋に入ってもいいことになっているはずですからね」

「ほう、そういう決まりがあるとは初耳だが、とにかく、一応、署のほうに来て、事情を説明してもらいましょうかね」

「そんな、理不尽ですよ」

「理不尽かどうか、言い訳は署で聞かせてもらいますよ」

山田は管理人の腕を摑んだ。

「まあまあ」

浅見は廊下に出て、山田を宥《なだ》めた。

「管理人さんを捕まえたって、意味はありませんよ」

「どうしてです？ 考えてみれば、鍵を持っているのは、何も前野だけじゃないのだから、当然、この人にも犯行の機会はあったわけです。だいたい、浅見さんがこの人が嘘をついたのを発見したんじゃないですか」

「いや、嘘をついたというわけではなく、言い出しにくかったのでしょう。ねえ、そうですよね？」

「ええ、ええ、そうです、あなたの言われたとおり、ああいう騒ぎになってしまったもんで、何だか言いにくくなったのです。決して嘘をつくとか、そういう気持ちがあったのではないのです。はい」

管理人は泣きそうになって、浅見にペコペコ頭を下げた。

「では、あらためてお訊きしますが、あなたがこの部屋に入ったとき、ベランダの戸に鍵がかかっていなかったのは間違いありませんね?」

「はい、間違いありません。物騒だなとは思いましたが、勝手に鍵をかけて、あとで居住者の方に叱《しか》られてはいけませんので、そのままにしておいたのです」

「そうすると、いったい、ベランダの鍵は誰がかけたのか、これは非常に興味深い問題といわざるをえませんね」

浅見はがぜん、嬉しそうに手をこすり合わせながら、ふたたび室内に戻り、ベランダに出るガラス戸を開けた。

「誰なんです? そいつは?」

山田もあとについて、浅見の肩越しに外を窺った。

見下ろすと、鶯谷ヴィラハウスと道路を隔てただけのすぐそこから、JRの線路が幾条も並んで、およそ二百メートルほど彼方《かなた》には、鶯谷駅や寛永寺あたりの森が望める。

「山田さん、ご苦労さまですが、捜査員を動員して、この先の線路一帯を綿密に捜索していただくように、手配してくれませんか」

浅見は線路を眺めながら言った。

「は？　この線路をですか？　そりゃまあ、必要とあればやりますがね、いったい何を探すのです？」

「鍵ですよ。この部屋の、もう一つの鍵が落ちているはずなのです」

「えっ、鍵？……」

山田は妙な顔をした。

「何だって、そんなものがここにあるのですか？」

「捨てたのです。このベランダから、放り投げたのですよ」

「放り投げたって、誰がです？」

「それは……」

浅見は廊下にいる管理人にチラッと視線を走らせた。

「僕の想像が正しいかどうかは、鍵が発見されるかどうかによります。説明はそのあとにして、とにかく、急いで作業を始めるようにしてくれませんか」

「はあ……分かりました」

山田は浅見と心中でもしそうな、悲壮な顔つきで、大きく頷いた。

山田が捜査本部を説得するのには、かなり時間を要したけれど、捜査員三十人あまりを投入しての捜し物が始まった。

捜索の結果は、作業が開始されてから、およそ三時間後に出た。浅見の想像どおり、線路の砕石の隙間から、一本の鍵が発見されたのである。

その鍵は七〇四号室のドアにぴったり合致した。

「どういうことか、説明していただけるのでしょうね？」

捜査本部に呼び込まれた浅見に、上松警部補が難しい顔をして質問した。十数人の捜査員の鋭い目が、浅見に集中した。

「いったい、あの鍵は誰が放り投げたものなのですか？」

「それは、たぶん、蜂谷健太さんだと思います」

浅見は悲しげに答えた。

「蜂谷……さん、ですと？」

上松は呆れて、年寄りじみた声を出した。ほかの刑事たちは、一応、浅見に遠慮してはいるものの、たがいに目を見交わしながら、声にはならない非難を浅見に向けている。

「浅見さん、勘違いしてはいませんか？　蜂谷さんというのは、本事件の被害者ですよ」

「分かっています」

「だったら、どうして？……」

「あの部屋で何が起きたか、僕が想像したことを、最初からお話ししてみましょうか」

「ああ、ぜひそうしていただきたいものですなあ」

上松はうんざりしたように言った。

「事件当日」と浅見は天井を見上げて、一呼吸、置いた。

「蜂谷さんは若岡商事に電話した約束の時間の少し前に、鶯谷ヴィラハウス七〇四号室へ行きました。ドアの鍵を開けて、中に入り、その鍵をベランダから線路に向かって放り投げたのです」

「ちょ、ちょっと待ってくれませんか」

上松が制止した。

「その鍵はどうしたのです？　どうして蜂谷さんが持っていたのです？」

「ああ、それについてはあとで話すことにして、先に進めさせてもらえませんか？」

「そりゃまあ、それでもいいですが」

「鍵を捨てたあと、蜂谷さんは二人分のコーヒーカップをテーブルの上にセットし、コーヒーを入れます。そして、一方のカップに毒物を混ぜ、毒物を包んでいた紙かビニール袋か、とにかく容器をベランダから捨てました。そうしておいてから、ベランダのガラス戸を閉め、鍵をかけ、ドアのノブやカップについた指紋を拭き取ります。すべての作業が終わると、蜂谷さんは毒入りのコーヒーを一気に飲み、お亡くなりになったのです」

浅見はストンという感じで話し終えた。聞いていた刑事たちは、まだ話のつづきがあるように、キョトンとした顔を浅見に向けて、しばらくは沈黙の時が流れた。

「は？　それじゃまるで……」と上松は一瞬、声が詰まった。

「まるで自殺じゃないですか？」

「ええ、自殺です」

「えっ、蜂谷さんは自殺したっていうのですか？」

「そうですよ、自殺したのです」

浅見は静かに、答えた。

「ははは、そりゃまた、大胆な発想ですなあ……」

上松は引きつったように笑った。

「しかし、どうして、どういうところから、そんなことが言えるのです？」

「現場の状況からみて、自殺以外には考えられないのではありませんか？　たとえば、鍵のこともそうですが、ベランダに出る戸の鍵がかかっていたことなど、あの部屋を密室状態にしておいて、鍵の所有者——つまり若岡商事の人間による犯行と見せ掛けようとする目的がはっきりしています」

「何のためにそんなことをしたんです？」

「要するに、蜂谷さんは、自殺することによって、若岡商事——ひいては上野駅の新築計画を阻止しようとしたのでしょうね」

「そんなばかな……」

上松は呆れ返って、のけぞるような恰好をしたが、笑う気にもならないらしい。

「そんな理由や動機で、自らのいのちを断つなんてことがあるものですかい」

笑う代わりに、軽蔑《けいべつ》したような口調になった。

「もちろん、それだけの動機では、自殺はしません」

浅見は穏やかに応じた。

「本当の動機はほかにありますが、しかし、それはそれとして、蜂谷さんの自殺によって、社会は上野新駅ビル問題に注目するでしょうし、少なくとも若岡商事の策謀に対する非難は起きるでしょう。現在進みつつある超高層ビル計画の見直し論も、あるいは出てくるかもしれません。もしそうなれば、蜂谷さんの死は、必ずしも犬死にではなかったことになります」

「それはそうかもしれませんが……それより浅見さん、本当の動機とかいう、それはいったいぜんたい何なのです？」

上松は焦れったそうに訊いた。

「本当の動機は……それは、蜂谷さんがなぜ七〇四号室の鍵を持っていたのかを考えれば分かることですよ」

「は？……」

上松警部補は、なみいる捜査員の目も忘れて、ポカーンとした目になった。

「そういえば、そうですな……なぜあの鍵を持っていたのだろう？……」

「鍵は、本当は和田さんがもっていたものなのです。その鍵を蜂谷さんが持っていたとすれば、その理由は一つしかありません」

「えっ、えっ、まさか浅見さん、和田さんを殺したのが蜂谷さん……いや、蜂谷だったというので……」

「そのとおりです。それ以外には考えられません。蜂谷さんは和田さんと寺山さんを殺害した犯人です」

「えっ、寺山……谷中霊園の自殺者……あれもそうだというのですか？」

「それはそうでしょう。和田さんを殺したのが蜂谷さんなら、寺山さんが自殺する理由なんかありませんからね」

「そりゃそうですが、しかし、そっちもそうだなんて……」

上松は反論の糸口を見つけようと、空中に視線を彷徨《さまよ》わせたが、何も思いつかなかったらしく、「ふーっ」と大きく溜め息をついて、沈黙した。

「いまとなっては推測の域を出ませんが」

浅見は静かに話しだした。

「蜂谷さんは和田さんから多額の工作資金を受け取っていたと考えられます。蜂谷さんの時計店は店構えは立派ですが、内実はかなり苦しかったようです。数年前に店舗の改装を行なった際の、銀行からの借金が重荷になっていたという事実もあります。調べてみていただきたいのですが、おそらく、その借金はほとんど返済されているはずです。要するに、蜂谷さんは和田さんから渡された資金の大半を、自分のために流用したのであって、実際に、蜂谷さんが表立って上野駅ビル計画に貢献した形跡はありません。むしろ、地元での集会などでは、反対派のような発言を行なっていました。これでは、和田さんや若岡商事側にとっては不満であるどころか、背信行為以外の何物でもなかったでしょう。和田さんが自らの責任問題もあって、蜂谷さんをきびしく追及したことは当然のことです。工作資金のネコババを公表すると脅したとしても、不思議ではありません。これが和田さん殺害の動機だと思います」

浅見が言葉を止めても、にわかには誰も物を言わなかった。その中から、山田部長刑事がおそるおそる訊いた。

「和田さんの事件はそれとしてです、寺山さんの事件はどうなります? なぜ寺山さんを殺害しなければならなかったのです?」

「寺山さんは不運だったとしか言いようがありません。もともと、蜂谷さんが和田さんを殺害した直接のきっかけは、寺山さんが落とした写真を蜂谷さんが拾ったことにあったといってもいいのです」

「は? それはまた、どういうことです?」

「寺山さんは三崎坂の蘭歩亭に立ち寄ったとき、レジでお金を払う際に写真を落としたのです。たまたま、マスターに頼まれて、店の留守番をしていた蜂谷さんがその写真を拾ったのですね。取りに戻ったら渡そうと思って、ポケットに入れておいたのを、そのまま忘れてしまったのかもしれません。ところが、それからまもないある日、池之端のビルで不忍池駐車場の賛成派集会があって、オブザーバーとして出席していた蜂谷さんは、ビルを出ようとした際、偶然、寺山さんを見掛けた。しかも、和田さんと何やら話しているところを、です。和田さんと寺山さんは同じJR関連の仕事に従事しているといっても、直接には関係があるとは思えませんから、たぶん、どちらかがどちらかに道でも訊いていたのでしょう。しかしそのとき、蜂谷さんの頭には悪魔の囁きのようなアイデアが生じたにちがいありません。それは、和田さんを殺害し、遺体のポケットに寺山さんの写真を入れておく——というものでした。和田さんと寺山さんが接触している現場は、蜂谷さんより前にビルを出ようとしていて、道を塞《ふさ》がれた恰好の三人が見ていたそうですから、必ず、寺山さんに容疑が向けられるだろうと考えたのです。実際、蜂谷さんが予測したとおり、警察は寺山さんを重要参考人として追及しました。寺山さんは必死になって身の潔白を証明しようと、蘭歩亭に足を運んだりしました。放置しておくのは危険だ——と蜂谷さんは考えたのでしょう。そして、寺山さんを谷中霊園に誘《おび》き出して、背後からロープを引っ掛け、自殺を装って殺害したのです」

浅見が話し終えると、長い静寂が捜査本部を支配した。

誰の顔にも、そうだったのか——という納得と、信じられない——という疑惑とが半々に浮かんでいた。これから始まるであろう、長い質疑応答を想像して、浅見は気分が滅入ってきた。

エピローグ

藺美が浅見と一緒に蘭歩亭に入ったとき、店内にはマスターのほかには、藺美の父親がカウンターにいるだけだった。

峰雄は「よおっ」と娘に手を挙げ、浅見にも「どうも」と頭を下げた。

浅見も「どうも」と、藺美の父親にともマスターにともつかぬ挨拶をして、少し離れたテーブルについた。

マスターは「コーヒーでいいですね」と勝手に決めて、パーコレーターが沸騰するあいだに、入口のドアに「準備中」の札をぶら下げてきた。

「あら、お店、休んじゃうの？」

藺美は訊いた。

「ああ、いいのいいの、店やる気分じゃないしね」

マスターは言い、それっきり黙って、コーヒーを運んできた。テーブルにカップを置く、ちょっとした仕草に、浅見に対する露骨な嫌悪感が表れていた。繭美はそれを非難するようにマスターの顔を見上げたが、結局、何も言わなかった。

コーヒーの香りよりも濃厚な重苦しい雰囲気が、店内に立ち込めた。

「出ましょうか」

コーヒーを半分飲んだところで、繭美は浅見に囁いた。

「いや、もう少しいます」

浅見は静かに答えた。

「おたく、浅見さんでしたか、ずいぶん働いたのだそうですな」

マスターが我慢できなくなったように、言った。

「おいっ、やめなよ」

繭美の父親が手を挙げて、マスターを制した。

「しかし、何だかやり切れなくてさ」

マスターは情ない表情になった。

「この人が悪いんじゃないんだから、怒ったってしようがない。浅見さん、気にしないでくださいよ」

「はあ、気にしていません。いろいろ、皆さんのつらいお気持ちは分かりますから」

「ほんとに分かるの？　あんた」

　マスターはまだ気がすまないらしい。

「ええ、分かりますよ。幼馴染みがああいうことになってしまったのですから。それに、お二人が、事件とぜんぜん無関係というわけでもないのですしね」

「えっ？……」

　繭美は浅見の言葉を聞きとがめて、マスターと峰雄の反応を見た。驚いたことに、二人は繭美の視線を避けるように、あらぬ方角を向いてしまった。

「いまのそれ、どういう意味なんですか？」

　浅見に訊いた。

「は？　いや、べつに深い意味はありませんよ」

　浅見は苦笑して、ほかの二人を真似るように、彼女の視線から逃れた。

「うそ……」

　繭美は三人の男たちに、等分に不信感をぶつけて、睨み回した。

「私だけ仲間はずれにしないでほしいわ。ねえ父さん、何があったのか、本当のことを聞かせてちょうだいよ」

「私より、浅見さんに聞いたほうがいい。もし何かがあって、それについて彼が知っているのであればだが」

峰雄は試すような目で、浅見を見つめた。

「父はああ言ってますけど、どうなんですか、浅見さん？」

「弱ったな……」

浅見は鬱陶《うっとう》しそうに、繭美の視線を手で払ってから、言った。

「もしあなたが、このお店を一歩出た瞬間に、ここで聞いたことのすべてを忘れてくれるなら、話してもいいですよ」

「いいわ。約束します。といっても、忘れることなんてできないけど、私だけの胸のうちに隠しておくわ」

繭美は昂然《こうぜん》と胸を張って、言った。

それからしばらく、浅見は黙っていて、ゆっくりと口を開いた。

「まず、蜂谷さんがなぜこの時期になって、自殺したかです。警察の捜査が蜂谷さんの身辺にまで及んでいたという事実は、ほとんどなかったにもかかわらず、です」

「それは、だから、浅見さんの追及が始まって、逃れられないと考えたからじゃないのですか？」

「それは否定しませんが、しかし、まだ自殺しなければならないところまではいっていない段階です。いや、たとえ警察や僕が追及したとしても、はたして自殺したかどうか、それ自体が疑問です。蜂谷さんが自殺した直接の動機には、べつのファクターが働いたのですよ」

「べつのファクター？」

「そう、蜂谷さんに自殺という、名誉ある清算の道を選ばせた、友情ある説得です」

「友情？　説得？……」

藺美はカウンターの方角に視線を飛ばした。二人の中年男は背を向けていた。

「それって、つまり、誰かが蜂谷さんに自殺するように勧めたっていうこと？」

「そうです。しかも、ただの自殺ではなく、殺されたように見せ掛けて——という方法を示《し》唆《さ》したのです」

「どうして……どうしてそんなことを？」

「一つは、警察に殺人事件としての捜査をさせることによって、若岡商事の策謀を暴露させようとしたのですね。もう一つは、未亡人には保険金という遺産が下りるという、副次効果もあったのでしょう」

「そうだ」と、マスターが振り返りざま、悔しそうに言った。

「ケンちゃん——蜂谷さんは自分のいのちを代償にして、上野駅計画にストップをかけようとしたのだ。それをあんたが余計なことをしたばっかりに……」

「えっ、じゃあ、マスターが自殺を勧告したの？」

藺美は思わず肩をすくめ、眉をひそめてマスターを睨んだ。

「いや、それは違うよ」

峰雄がこっちを向いて、言った。

「蜂谷さんに自殺するよう唆《そそのか》したのは、この私だ。卑怯者《ひきょうもの》は私なのだよ」

「あっ……そうか……」

その父親の、まるでいたずらを見つかった子供のような表情を見て、藺美は愕然《がくぜん》と思い出した。父親に「買収」の疑いをぶつけたとき、峰雄がなんともいえない複雑な悲しそうな顔をした。あのとき、峰雄は、蜂谷が若岡商事に買収されていることを覚《さと》ったのだ。

そして——蜂谷は自殺した。

「そうなの、そうだったの……」

藺美は父親を正視できなかった。

浅見がこっちを見ている視線を感じたが、それを見返す気力も、藺美にはなかった。

「大林さん、あなたのお父さんは卑怯者なんかではありませんよ」

浅見は穏やかに言った。

「蜂谷さんが、いずれ容疑の対象になることは、僕が谷中の町をウロウロしはじめているのを見た時点から、お父さんや蘭歩亭のマスターには分かっていたのです。いや、蜂谷さん自身にも、漠然とした予感はあったかもしれない。それならばどうするのが最善の道なのか、お父さんは蜂谷さんに、そのことをお話ししただけなのです。そうでしょう?」

浅見の問い掛けに、大林峰雄は何も答えようとはしなかった。

「上野駅をめぐる谷中の人たちの想いには、僕のような若造には理解しきれない部分が沢山ありそうです。上野駅に対する愛着と、その裏返しのような嫌悪感……いや、こんな訳知りのようなことを口にするのがおこがましいほど、複雑に入り組んだしがらみが、この町にも、それに、この町に住む人の心の中にもあるみたいですね」

浅見の述懐にも、誰も口を開かなかった。繭美は胸の中で(そうよ、そうなのよ――)と、悲しいほど誇らしく思っていた。

「ところで、警察の捜査には、じつに抜けたところがあったのですよ」

浅見は少し笑いを含んだ口調で言った。

「寺山さんがなぜ谷中霊園なんかに、のこのこ出かけて行ったのか、その点をまったく問題にしようとしないのです」

「ほう……」

マスターが驚いたように、浅見に顔を向けた。しかし、疑問を投げかけようとはしない。

浅見はしばらく待ってから、仕方なさそうに、喋りだした。

「いくら殺人の容疑を晴らそうとするあまりだからといって、真夜中に、あんなところに、しかも殺人者が待っているかもしれないというのに、みすみす誘《おび》き出されるはずがありませんよね」

「それって、どういうことなんですか?」

繭美はたまらず、訊いた。

「つまり、寺山さんが殺されたのは、霊園なんかではないということです」

「ふーん、そうなんですか……それじゃ、いったい、どこで?」

「寺山さんが谷中で訪れるところといえば、このお店しかありませんよ。写真を落としたのは、このお店だと確信していたでしょうからね。寺山さんがはじめて蘭歩亭に来たときに、留守番をしていた人物が、真相を知っている。そう信じていたのですよ」

「えっ、じゃあ、ここで?……」

繭美は恐怖をいっぱいに湛《たた》えた目で、マスターを見つめた。

「そうなのだよ、浅見さんの言うとおりだ」

マスターは苦悩に満ちた顔で言った。

「あの夜、私が外から戻ってきたとき、店の看板の照明が消えていた。おかしいなと思いながら店に入ると、そこの床の上に青年の死体が横たわっていて、その脇にケンちゃんが佇《たたず》んでいて……」

「やめて！……」

繭美は悲鳴を上げ、耳を覆った。

「そうだ、もうやめよう」

峰雄が言った。

「そうですね、もうやめましょう」

浅見も言った。

四人は息をひそめ、じっと動かなくなった。どこかの寺で鐘が鳴ったようだが、気のせいかもしれない。

＊

浅見の報告を聞くと、内田は「最悪の結末だね」と言った。

「きみに頼めば、もう少しなんとかなると思っていたのだが、頼り甲斐がないもんだ」

「そんなこと言わないでくれませんか。もっと早くから事件にタッチしていればよかったのですが……もともと、内田さんが真剣に対応しなかったのが悪いのですよ」

ないのだから」

「冗談言っちゃ困るな、ひとに責任をなすり付けないでもらいたい。僕は探偵業なんかじゃ

「僕だって、これでもれっきとしたルポライター、内田さんと同じもの書きの端くれです。それにしても、寺山さんはどうして内田さんなんかでなく、僕に直接手紙をくれなかったのかなあ」

「そりゃそうだろう、読者はきみのことを架空の人物だと思っているからね。架空の人物にどうやって手紙を書けっていうのさ」

「それは、内田さんの小説が、僕を存在感のない人物にしか書いていないっていう証拠じゃないですか。もう少し文章力をつけて、いい作品を書いてくださいよ」

内田はまだ何か言いたそうだったが、浅見はさっさと受話器を置いた。

部屋の向こうで、須美子嬢が満足そうに、にっこり微笑んで頷いている。

この作品はフィクションであり、文中に登場する人物、団体名は、実在するものとまったく関係ありません。なお、風景や建造物など、現地の状況と多少異なっている点があることをご了解ください。

（著者）

自作解説

浅見光彦の恐怖の母親「雪江未亡人」のモデルである本物の雪江夫人は、千駄木の出身である。文京区千駄木と隣の根津は、藍染川の谷を挟んで台東区谷中と向かい合っている、下町と山の手の中間のような街だ。この付近には森鷗外や夏目漱石、高村光雲、光太郎など、昔から文人墨客《ぼっかく》が多く住んだ。雪江夫人は僕の顔を見るとよく、「千駄木や根津、それに谷中辺りを書きなさい」と命じた。古きよき東京の面影は、いまやその辺りにしか残っていないというのである。

旅情ミステリーを標榜している以上、いずれはそういうところを取材したいとは思っていた。たしかに風情はあるし、何よりも地理的に恵まれている。もっとも、あまりにも近すぎて、取材旅行の楽しみに欠けるという難はあったが――。

作品の中でも書いているけれど、僕や浅見光彦の生まれ育った北区西ヶ原の辺りを流れる、川ともいえないようなドブ川が、かつての藍染川の上流だということは、この作品を書く直前に知ったのだが、そのことからも分かるように、北区と文京区、台東区はほんの地続きである。内田家の墓は本郷肴町《ほんごうさかなまち》の清林寺（『記憶の中の殺人』参照）にあって、そこから目と鼻の先が根津や千駄木だ。子供の頃、上野公園に遊びに行くのによく、谷中の墓地を通って歩いて行った。昭和二十年四月十三日の空襲で、東京北部一帯が被災して、わが家も灰と化した朝、田端《たばた》から上野へ行くあいだが一面の焼け野原だったのに、谷中界隈だけが緑濃い木々に救われて焼け残っていたのが、いまもありありと目に残る。

そういった記憶がこの作品の「原風景」になった。その当時から終戦にかけての、荒廃した上野駅の様子なども、地下道のあのなんとも形容のしようのない臭気とともに、克明に憶えていて、それが作品を書く上で大いに役立った。驚くべきことだが、大変貌を遂げた東京の中にあって、浅見光彦が住み、団子の平塚亭のあるあの辺りと、上野谷中界隈だけは、まるで忘れられたように昔ながらの面影を残している。高度成長、バブルの頃はさすがに虫食いのようにポツリポツリとマンションなどが建ったが、それでも頑固に地面にしがみついて変化を免れた家々が少なくない。それがいいことなのか悪いことなのかはともかく、そういう昔ながらの佇《たたず》まいを見ると、ほっとすることはたしかだ。

上野駅周辺も変化が遅れた地域ではある。上野駅と御徒町駅のあいだに連なる「アメ屋横丁」などは、ほとんど終戦当時から変わっていないのではないだろうか。あの闇市のごとき風景が好ましいとは、到底、思えないのだが、毎年暮れの風物詩のようにテレビで紹介されるのを見ると、ああいうのも残っていていいのかな——と思ってしまう。しかし、そういった懐古趣味が都市の発達を妨げているであろうことも否定できない。土地の有効利用とか都市機能本位に考えると、アメ屋横丁などはとうの昔に改善されていい代物かもしれない。

そもそも上野駅そのものが古色蒼然としている。大正時代か昭和初期の交通体系が旧態依然として残ったままだった。東京、新宿、池袋、渋谷といったターミナルがどんどん改築される中で、ひとり上野駅だけが取り残された。あの広大な敷地が、単に「停車場」としてしか機能していないのは、いかにももったいない。そんなことは旧国鉄もJRもとっくから分かっていて、しばしば改築話が持ち上がったにちがいないのである。それにもかかわらず、ついにまったく手をつけないまま今日に至り、いまや新幹線の終着駅は東京駅に移ってしまった。

「ふるさとの訛なつかし停車場の人ごみの中にそを聞きにゆく」と石川啄木がうたった上野駅は、もはや東京の北の玄関口たる使命を終えて、ただの通勤用のターミナル駅か通過駅に成り下がったわけだ。長野や秋田に疎開して、上野駅での発着を経験している僕のような世代の人間や、集団就職で上京してきた、いまはもう中高年のおじさん、おばさんたちにとっては、感慨無量なものがある。

本書『上野谷中殺人事件』はこういった上野駅や谷中界隈の知識や記憶を土台にして書かれた。しかし、直接の執筆のきっかけとなったのは、見知らぬ人物から僕宛に届いた手紙である。その手紙のことは、作品の中でもほぼそのとおりに書いた。紛失した写真が原因で、警察に窃盗の容疑で調べられ、たいへん困っているので、何とかして欲しい――という内容であった。これは嘘のような本当の話だ。違うのは「窃盗容疑」を「殺人容疑」に置き換えただけである。

ちょうどその頃、角川書店編集部（当時）の郡司聡氏から、文庫書下ろしの執筆依頼を受けていた。文庫書下ろしというのは、一般的にはハードカバーか新書判で刊行する新作を、いきなり文庫で刊行するもので、光文社文庫の創刊記念に『多摩湖畔殺人事件』、一周年記念に『天城峠殺人事件』を書いたのがそれだ。同文庫の「浅見光彦のミステリー紀行・第1集『天城峠殺人事件』」の中で書いたように、何かの記念に合わせて刊行する以外、僕の場合はあまり例がない。前記二作品のほかには角川文庫の『琥珀の道《アンバー・ロード》殺人事件』があるだけだったが、最後の文庫書下ろしとして『上野谷中殺人事件』を書くことになった。これも何かの「記念」だったと思う。

文庫書下ろしだからといって、手を抜くわけではないけれど、やはりハードカバーで出すのとは気分的に違う。手は抜かないが肩の力が抜けるということはあるだろう。四作品いずれを見ても、大なり小なりその傾向が窺《うかが》える。『上野谷中殺人事件』でもそれはあったようだ。いま読み返してみると、自由気儘に奔放に書いているのが分かる。読んでいてたいへん楽しい。楽しいけれど、じつに深刻な問題を内包していることに気づく。上野や谷中といった取材先の土地柄が、行間に滲み出ている。

取材の初日に「谷中銀座商店街」にある本屋さんの店先で、「谷中・根津・千駄木」というタウン誌を発見した。僕は不明にして知らなかったのだが、「谷中・根津・千駄木」はNTTタウン誌大賞を受賞した日本一のタウン誌だった。あまり飾らず、タウン誌特有の宣伝臭さもなく、江戸前の風格のようなものを感じさせるすぐれもので、谷中界隈のことがじつによく分かる。しかも、単なる地域情報を集めるだけでなく、地元のさまざまな問題についての主張がある。すでにお分かりのとおり、作中の「谷根千界談」はこの「谷中・根津・千駄木」がモデルになっている。いまにして思うとずいぶん失礼な話で、関係者各位はさぞご不快だったにちがいない。遅まきながら、紙上をかりてお詫び申し上げる次第です。

この『上野谷中殺人事件』を読んだのがきっかけで谷中を訪ねたという人はかなりいるらしい。ちなみに「蘭歩亭」や「夕焼けだんだん」「山忠呉服店」「金田印章店」等々の谷中の商店や、道灌山下の「天米」など、名前を変えているけれどそれらしい店の多くは実在するので、谷中を訪れたときにはぜひ探訪していただきたいものだ。

一九九七年暮

内田　康夫

一九九一年二月　角川文庫（角川書店）刊
一九九四年九月　C★NOVELS（中央公論新社）刊
一九九八年一月　中公文庫（中央公論新社）刊

『上野谷中殺人事件』編

Asami JOURNAL

浅見ジャーナル　番外

浅見は暗澹《あんたん》とした気分であった。人間の不幸は果てしないものらしい。いったい、この世の中には神も仏もいないのだろうか。宗教家に言わせると、不運なのは「神が試練を与えたまう」のであるとか、事故で怪《け》我《が》をすると「信仰がたりない」「怪我ですんだのは信仰のおかげ」だとか、どん底にあえいでいると「貧しき者は幸いなり」だとかいうことらしいが、クソ食らえと言いたくなる。誠実につつましく暮らしている者が不幸に見舞われ、悪逆非道のやつがぬくぬくと安逸をむさぼっているのなど、神様の公平感覚はどうかしているとしか思えない。

〜『上野谷中殺人事件』第四章より

ASAMI JOURNAL・BANGAI

センセが登場する 内田作品

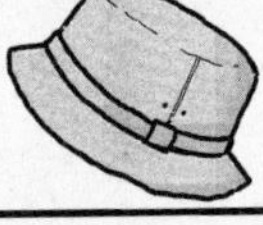

一〇〇事件を越える浅見光彦シリーズの中でも異彩を放つ作品――それが、本書『上野谷中殺人事件』に代表される〝軽井沢のセンセ〟こと内田康夫本人が登場する作品だ。

センセの初登場は『長崎殺人事件』。当初は浅見への依頼を仲介する黒子的な役割にとどまっていたが、ごく最近の作品『風の盆幻想』においては巧みな弁舌で浅見光彦を事件に巻き込み、その解決にも一役買っている。

二〇〇七年現在、十五作にもおよぶセンセの登場作品を、いくつかご紹介しよう。

『「紫の女《ひと》」殺人事件』……軽井沢のセンセといっても、必ずしも軽井沢にいるわけではない。時には網代に設けたカンヅメ用の仕事場で、執筆に勤《いそ》しむこともある。そんなセンセを訪ねた浅見は、センセのせいでまたしても事件に巻き込まれる。若い女性の手前、浅見の推理を自分の手柄にしてしまうなど、浅見と張り合う網代のセンセの仕事ぶり・生活ぶりが垣間見える一作。

『熊野古道殺人事件』……浅見が愛車ソアラのローンを完済したその日、彼を待っていたのは軽井沢からの不吉な電話だった。南紀に同行するよう、仕事そっちのけで浅見を誘うセンセ。春浅い南紀を舞台に、センセ自ら浅見のソアラを運転し、白熱のカーチェイスを繰り広げる。果たしてソアラの運命は……!? センセが大活躍の作品。

『軽井沢通信』……当時の社会情勢や身の回りの出来事などを織り込んだ、センセと浅見の往復書簡を纏《まと》めた一冊。実際に起きた、冤罪らしき事件の調査を頼んだセンセと浅見のやりとり、浅見光彦倶楽部創設からクラブハウス落成式に至るまでの出来事など、小説を読むだけでは窺《うかが》い知ることのできない話が満載⁉

『黄金の石橋』……作中に登場するのは軽井沢のセンセだけとは限らない。この作品では軽井沢のセンセの元に、テレビドラマで浅見役を演じる絵樹卓夫《えぎたくお》こと榎木孝明氏がやって来る。浅見に相談したいことがあるのだが、いつも逃げられてしまうらしい。榎木氏の伝言を快諾したセンセは、言葉巧みに浅見を事件へと誘う。俳優・榎木孝明氏とセンセと浅見、夢の共演作品。

――ここまで紹介した作品を始め、センセがらみの事件は往々にして電話の向こうからやってくる。幾度となく散々な目に遭い、ろくなことにならないと分かっているにもかかわらず、頼まれると嫌とは言えない浅見の性格を見越したセンセの策略に、浅見はいつも、まんまと嵌《はま》ってしまう。だが、センセの巧妙な罠に抗《あらが》えないのは読者もまた然《しか》り。二人の軽妙なやりとりを嘲笑しているうちに、どこまでがフィクションなのか分からなくなってしまうはず。

センセの登場には賛否両論あるが、今日浅見光彦がここまでリアリスティックな存在となった背景に、〝軽井沢のセンセ〟が少なからぬ影響を与えていることは間違いないだろう。虚構と真実のはざまに読者を誘い込むセンセの活躍に、今後も期待したい。

アサミスト学園 国語試験問題

〈『上野谷中殺人事件』編〉

これは諸君が当学園において、どの程度の素質を有するかを試すテストである。この本を読み終えたばかりの諸君なら簡単な問題ばかりだ。諸君の健闘を祈る！

問題A　次の文章の中で、傍線が引かれている部分の読みを答えなさい。

1. 浅見は真顔で窘めた。
2. 内田は事件の内容を歪曲し、脚色し、興味本位の読物にしてしまう。
3. 須美子が「軽井沢のセンセから電話です」と呼びに来た。軽井沢からの電話となると、相変わらず突慳貪な口調である。
4. かつて、浅草は日本一の「盛り場」として繁栄を誇った。それが、見るかげもなく凋落してしまった。
5. 上松はボールペンを玩びながら、チラッ、チラッと浅見の顔に視線を飛ばして言った。
6. 「いや、そんなことはないさ。困ったり悩んだりしたときは、相身互いだからね。それがこの町のいいところじゃないの」
7. 店は相変わらずヒマで、お客はほかになく、山田の姿も見えなかった。待ち草臥れて帰ってしまったのだろうか。
8. 反対運動を貶めるような言いがかりは断固、シャットアウトしなければならない。

問題B　次の文章の中で、傍線が引かれている部分を漢字にしなさい。

9．マスターは照れたようにうつむいた。

10．浅見は、山田のちゅうちょする気持ちを、勇気づけるような勢いで、言った。

11．「自分に都合の悪い相手を殺してしまう」と言った浅見の声が、じだに蘇った。

12．繭美がテーブルの向かい側に坐ると、蜂谷は低い声でしったした。

13．いや、マスターに限らず、上野かいわいに住んでいる人間なら、大抵は東北・上越新幹線の東京駅乗り入れには絶対反対の姿勢でいる。

14．印刷物や何かの資料らしきものが、じゅうたんを敷いた床から天井まで、ところ狭しとばかりに積まれている。

15．計画それ自体の見直しからそじょうに載せようというのだから、どだい無理な話なのである。

16．その瞬間、繭美の背筋を、冷たいせんりつのようなものが襲った。

17．ほんのいちべつしただけのようでいて、浅見は素早く、そういった内容を把握してしまったらしい。

18．山田は正直に、しゅうびを開いたような、明るい顔になった。

問題C　次の文章の中で、傍線が引かれている熟語の意味を答えなさい。

19．「そんな、使嗾《しそう》だなんて……」

20．そうやって右顧左眄《うこさべん》するうちに、警察が死体を発見したというニュースが流れた。

『上野谷中殺人事件』を読んで――

浅見さんに初めて出会ったのはテレビドラマでした。原作のないドラマと思いきや、内田先生の小説がベースにあることを知り、それからは書店通いの日々。そんな私にとって『上野谷中殺人事件』はセンセが登場する初めての作品で、とても新鮮な印象を受けました。第一章は軽井沢のセンセからの電話で始まりますが、須美ちゃんと話をしているのはセンセ？　それとも内田先生？　そしてそのやりとりを描いてるのは？……と混乱しつつも、不思議な世界に引き込まれてしまいました。

上野駅は夫との遠距離恋愛の頃に何度も行き来した駅で、その情景を思い浮かべると甘酸っぱい想いが蘇ります。作品の登場人物のように、集団就職で上京してきた人たちにとっての上野駅は、故郷へと続く心の拠り所。そしてその中には、戦後の事件の傷を抱えている人たちもいるでしょう。それぞれが抱く複雑な心模様に知らぬ間に涙し、上野谷中界隈の風景が、時を越えて鮮やかに見えてきました。

町の景色は移ろいゆきますが、そこには今も、人情豊かな下町の人々の優しさ、哀しさ、やり切れぬ想いなど、総《すべ》てを温かく包みこむ〝眼差し〟があるように思えてなりません。情緒溢れる谷中に出掛けて蘭歩亭のモデルになった『乱歩』で珈琲を味わい、夕やけだんだんを眺めていれば、いつか私も、浅見さんに出逢えるでしょうか？

浅見光彦倶楽部・No.2900　宮内明子

浅見百科

――『上野谷中殺人事件』編

【センセ】 軽井沢に住む推理作家・内田康夫のこと。浅見家のお手伝いの須美子が、多少の軽侮の感情を込めて「センセイ」ではなく、こう呼んでいる。

【タヌキ】 大林繭美が浅見に抱いた印象。茫洋とした笑顔の中で、鳶色の眸がキラリと光ったのを見た瞬間、とぼけたふりをしているが、それは浅見がうまく相手を誘導するテクニックなのだと、繭美は悟った。

【ブルータス】 下谷署の山田部長刑事のこと。信頼していた山田刑事にまで見放された浅見は、ショックのあまりジュリアス・シーザーの心境を味わったようだ。

●アサミスト学園国語試験問題・解答●

問題A

1. たしな　2. わいきょく
3. つっけんどん　4. ちょうらく
5. もてあそ　6. あいみたが
7. くたび　8. おとし

問題B

9. 俯　10. 躊躇　11. 耳朶　12. 叱咤
13. 界隈　14. 絨毯　15. 俎上　16. 戦慄
17. 一瞥　18. 愁眉

問題C

19. 指図してそのかすこと。
20. 周囲の様子や人の思惑などを気にして、決断できずにためらうこと。

――試験の出来はいかがだったろうか。八割正解すれば学園でもトップクラスだ！

事務局だより

●お知らせ●

◆浅見光彦倶楽部は、一九九三年、名探偵・浅見光彦を愛するファンのために、内田先生自らが創設したファンクラブです。軽井沢にあるクラブハウスや宿泊施設「浅見光彦の家」でのイベント、作品舞台地を巡るミステリーツアー、テレビドラマのロケ見学、センセや浅見さんの誕生日パーティーなど、さまざまな活動を通じて、ファン同士、そしてセンセや浅見家の人たちとの交流の場を設けております。

◆「浅見ジャーナル」とは、浅見光彦倶楽部が年四回発行している会報です（B5判・十六頁）。毎号、内田先生の書下ろしエッセイや楽しい企画が盛りだくさん。

◆浅見光彦倶楽部では、「アサミストバッジ」、「浅見光彦の推理帽」など、オリジナルの商品も販売しております。

◆現在、内田先生公認・浅見光彦倶楽部公式ホームページ「**浅見光彦の家**」（http://www.asami-mitsuhiko.co.jp/）も公開中。

◆浅見光彦倶楽部の詳細資料をご希望の方は、八十円切手を貼り、ご自身の宛名を明記した返信用定形封筒を同封の上、封書で次の宛先までご請求下さい。浅見光彦倶楽部への入会方法など資料をお送り致します。

◆〒三八九-〇一一一　長野県北佐久郡軽井沢町長倉五〇四　浅見光彦倶楽部事務局

AJ番外『上野谷中殺人事件』編
二〇〇七年七月二十日
発行人・内田康夫　編集人・蛯名　賢
編　集　浅見光彦倶楽部事務局

光文社文庫

長編推理小説
上野《うえの》谷中《やなか》殺人《さつじん》事件《じけん》
著　者　内《うち》田《だ》康《やす》夫《お》

2007年7月20日　初版1刷発行
2021年1月20日　4刷発行

発行者　鈴木広和
印　刷　凸版印刷
製　本　ナショナル製本

発行所　株式会社　光文社
〒112-8011　東京都文京区音羽1-16-6
電話　(03)5395-8149　編集部
8116　書籍販売部
8125　業務部

ISBN978-4-334-74287-4 Printed in Japan

お願い　光文社文庫をお読みになって、いかがでございましたか。「読後の感想」を編集部あてに、ぜひお送りください。

このほか光文社文庫では、どんな本をお読みになりましたか。これから、どういう本をご希望ですか。どの本も、誤植がないようつとめていますが、もしお気づきの点がございましたら、お教えください。ご職業、ご年齢などもお書きそえいただければ幸いです。当社の規定により本来の目的以外に使用せず、大切に扱わせていただきます。

光文社文庫編集部